COBALT-SERIES

後宮幻華伝

奇奇怪怪なる花嫁は謎めく機巧(からくり)を踊らす

は

集英社

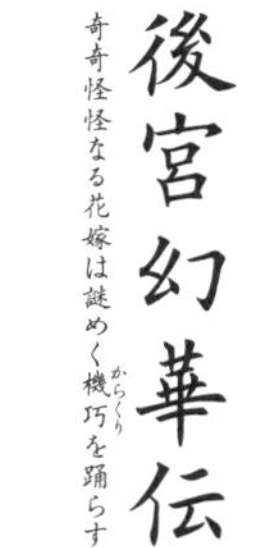

後宮幻華伝

奇奇怪怪なる花嫁は謎めく機巧（からくり）を踊らす

目次

イラスト／由利子

登場人物紹介

朱虹（しゅこう）
緋燕つきの女官。
明るく面倒見のいい性格。

舎氏（しゃし）
敬事房の女官で、
皇帝の寝所の記録をとる。

李緋燕（りひえん）
良家の娘がたしなむ優雅な
趣味には興味を示さず、
からくりや火薬などの
科学が好きな理系の令嬢。
皇帝の寵愛を得ることよりも、
王宮にある科学の本を読む
こと、ある「復讐」を果たす
ことが目的で後宮に上がる。

呉愛晶（ごあいしょう）
呉氏の太皇太后の大姪。
花嫁の一人で傲慢な娘。

栄貴人（えいきじん）
栄太后の姪。「未来の皇后」
と期待されて入宮。

念碧麗（ねんへきれい）
華奢で儚げな美少女。
以前より遊宵に憧れていた。

因少監（いんしょうかん）
緋燕つきの宦官で名は四欲。出世と金が好き。

刀太監（とうたいかん）
遊宵つきの高級宦官で名は駿奇。穏やかな性格。

暦太監（れきたいかん）
栄太后つきの主席宦官。生真面目でそつがない。

高遊宵（こうゆうしょう）
崇成帝として即位したばかりの冷ややかな美貌を持つ若き皇帝。鬼淵国に嫁いだ血のつながらない姉・鳳姫への恋心が忘れられない。12人入宮させた花嫁に寵愛争いをさせ、一番狡猾な娘を寵姫にすると決めている。

旅司正（りょしせい）
後宮警吏を務める宦官。堅物だが四欲と親友？

豹太監（ひょうたいかん）
敬事房太監を務める宦官。明るく朗らか。

士影（しえい）
呉家に仕える奴婢だったが下級宦官になった。

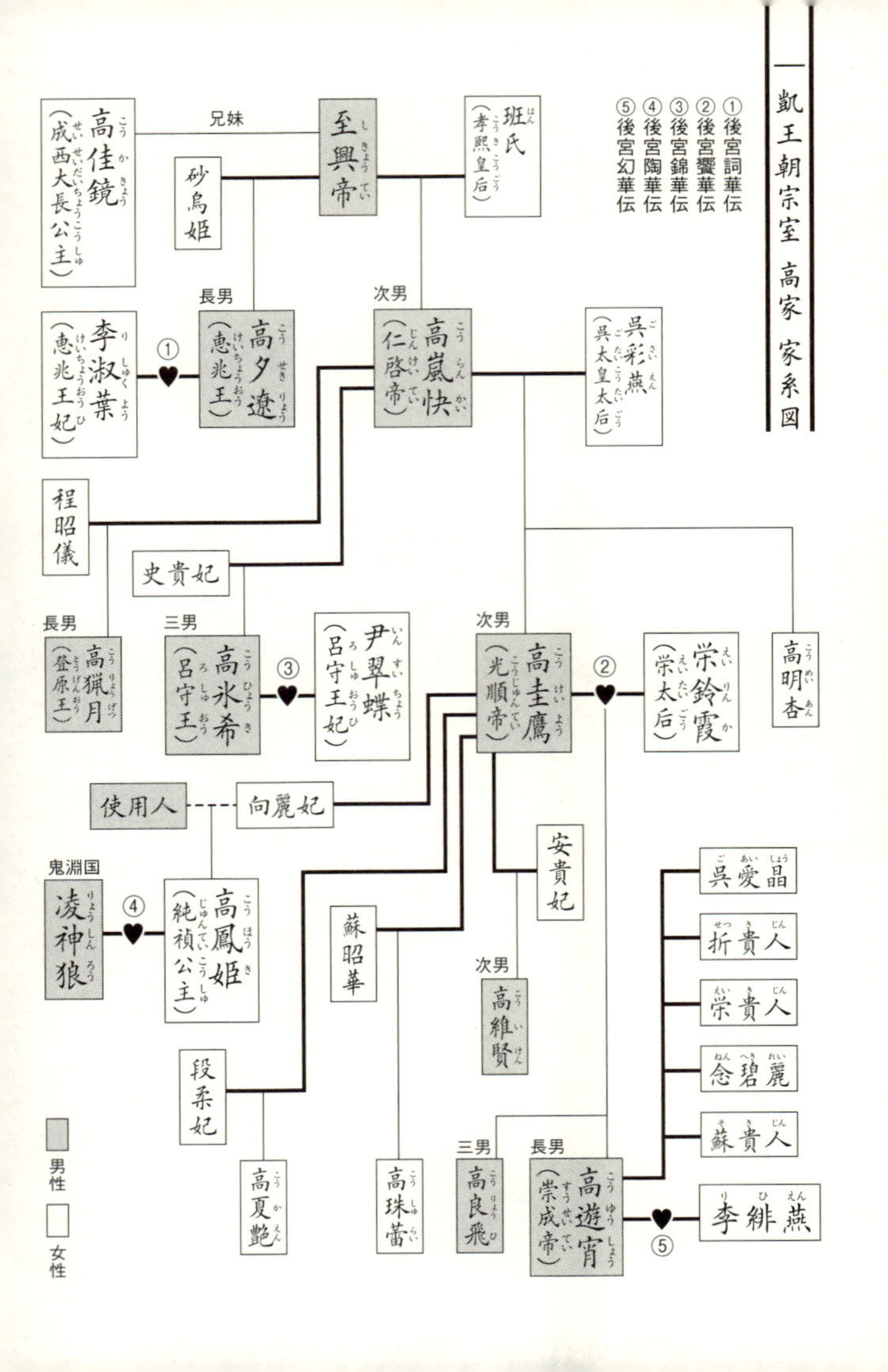

凱王朝宗室 高家 家系図
①後宮詞華伝
②後宮饗華伝
③後宮錦華伝
④後宮陶華伝
⑤後宮幻華伝
至興帝
兄妹
高佳鏡（成西大長公主）
班氏（孝熙皇后）
砂烏姫
長男
高夕遼（恵兆王）
李淑葉（恵兆王妃）
次男
高嵐快（仁啓帝）
呉彩燕（呉太皇太后）
程昭儀
史貴妃
長男
高獵月（昏原王）
三男
高氷希（呂守王）
尹翠蝶（呂守王妃）
次男
高圭鷹（光順帝）
栄鈴霞（栄太后）
高明杏
使用人
向麗妃
安貴妃
鬼淵国
凌神狼
高鳳姫（純禎公主）
蘇昭華
次男
高維賢
呉愛晶
折貴人
栄貴人
念碧麗
蘇貴人
段柔妃
高夏艶
高珠蕾
三男
高良飛
長男
高遊宵（崇成帝）
李緋燕
男性
女性

後宮幻華伝

奇奇怪怪なる花嫁は謎めく機巧(からくり)を踊らす

第一章 氷の天子と毒牙砥ぐ花嫁たち

凱王朝、崇成元年一月吉日。慣例通り、新帝は十二名の花嫁を娶った。

「主上に拝謁いたします」

十二人の花嫁たちが流れるような所作で跪拝する。

崇成帝・高遊宵は玉座からその様子を見下ろしていた。

七日に及んだ大婚の儀式は終わり、花嫁たちは婚礼衣装から侍寝（夜伽）のための衣装に着替えている。といっても夜着ではなく、きらびやかな錦の盛装だ。

「面を上げよ」

遊宵が命じると、十二人の花嫁たちが跪いたまま顔を上げた。

かすかな衣擦れの音、しゃらしゃらと歌う豪華な簪、ゆらゆらと揺れる宝玉をあしらった耳飾り。優雅な音楽の後にあらわれたのは、十二の花のかんばせ。

「そなたたちは天子に嫁いだ。天下万民の模範として品位ある行いを心掛け、太皇太后さま、皇太后さまに孝行し、忠心をもって余に仕えよ」

型通りの文句を言うと、遊宵の所有物となった美貌の娘たちが従順に返事をする。

「さて、堅苦しい挨拶はここまで。みんな、早く位階を知りたいだろう？」

婚礼の夜、十二人の花嫁たちの位階が発表される決まりである。

遊宵は側仕えの宦官、刀駿奇を呼んだ。駿奇は頭を垂れ、花嫁たちのほうを向く。

「李緋燕」

家格の低い順から名を呼ばれる。しずしずと進み出た李緋燕はすっきりした目鼻立ちの美人だった。表情が凍りついたように冷たいのは、緊張のせいか、生来の気質のせいか。

「貴人とする。これよりのち、水鳥閣にて起居せよ」

李緋燕は駿奇から聖旨と呼ばれる巻物状の勅書を受け取って、後ろに下がった。

凱王朝の後宮には、皇后の下に十二人の妃と九人の嬪がいる。十二妃と九嬪を合わせて妃嬪という。貴人は妃嬪よりも下、六侍妾の最上位である。六侍妾はそれぞれ貴人、玉人、佳人、淑人、良人、楚人といい、一位階一名ずつの妃嬪と違って、いずれも定員はない。

「念碧麗」

ひときわ小柄な娘が進み出た。狼に睨まれた兎のように怯えている。

「貴人とする。これよりのち、芳樹閣にて起居せよ」

次々に名が呼ばれ、駿奇が位階を発表していく。おとなしく拝受していた花嫁たちがしだいにざわめきだした。全員が貴人と申し渡されたからだ。

「恐れながら主上。なにゆえ、わたくしが〈貴人〉なのです？」

最後に位階を申し渡された呉愛晶が非難がましく声を上げた。武門として名高い呉家出身の令嬢だ。牡丹のような容貌をしているが、きつい目元に高慢さがにじみ出ている。

「わたくしは呉家の娘で、太皇太后さまの大姪です。念家や李家のような末席の家柄の娘と同格の扱いを受けるとは、想像もしていませんでした」

「呉貴人は宮中の規則を知らないようだな。余の許可もなく、直言するとは」

遊宵がすっと目を細めると、呉貴人はびくりとして面を伏せた。

「まあ、いい。婚礼の夜だ。多少の無礼には目をつぶろう」

画山水の扇子を開いて、にこやかに言う。

「位階に不満があるようだね、呉貴人」

「……十二人の花嫁が全員、貴人に封じられるなど、前代未聞です」

「後世では、これが先例として語られているだろうね」

遊宵は艶然と微笑んだ。

「侍寝した者から順に位を上げていく。寵愛を得られるよう、励むがいい」

「今宵の侍寝は、どなたをお召しになるのでしょうか」

呉貴人が尋ねた。当然、自分が指名されるだろうと言わんばかりに胸をそらしている。

「今夜は誰も呼ばない。各自、部屋で休みなさい」

不服そうな呉貴人を視線で制し、遊宵は玉座から立ち上がった。

「主上がご退席なさいます」

駿奇の声が響く。貴人たちは「お見送りいたします」と言って、ひれ伏した。

回廊に出ると、粉雪まじりの夜風が冕冠の玉飾りを揺らした。

皇太子時代から仕えている駿奇と、栄太后付きの宦官、暦清白が影のようについてくる。どちらも高級宦官であり、主人以外からは刀太監、暦太監と呼ばれている。

「栄太后さまが案じていらっしゃいました」

暦太監が優美な白皙の面に当惑をにじませた。

「前例がございませんので。初夜にどなたもお召しにならないというのは……」

「母上は栄貴人に侍寝させよ、とおっしゃっていたかい」

栄貴人は、遊宵の生母である栄太后の姪だ。

「いえ、栄貴人をおすすめになっていたわけではありませんが」

「母上は公平な御方だからね。誰にも肩入れなさらない」

暦太監は物言いたげだったが、遊宵は素知らぬふりをした。

(後宮など、煩わしいだけだ)

傾国の美姫が何人いようと無価値だ。その中に、恋しい人はいないのだから。

「李貴人さまぁ、いい加減にお支度をなさってくださいよー」

走馬灯の台座にやすりをかけていた緋燕の視界に、艶っぽい美貌が映りこんだ。

気だるげな目元が印象的な、鼻筋の通った面差し。わざと余らせて結った黒髪が首筋にかかっているせいか、女顔負けの色香をまとっている。造形美をほしいままにした美男子だ。

いや、正確に言えば男ではない。彼――因四欲は宦官だから。

後宮に入ってまず驚いたことは、異様なまでの美形率の高さだ。皇帝に嫁いだ令嬢たちはもちろんのこと、身の回りの世話をする女官や宦官に至るまで美形ぞろいである。

なぜなのかと尋ねてみたところ、皇帝の御手がつくかもしれないから、見栄えのしない者は置けないとのこと。過去には、美女より宦官を好んだ帝王もいたという。

「今日は一月十六日、天祥節！　主上の降誕日なんですよ。正午から外朝で催された御宴が終われば、宵の口からは後宮で宴が始まります。貴人たちは昼間から念入りに湯浴みして身支度しているっていうのに、あなたときたら、おがくずまみれじゃないですか」

「のこぎりを使ったからね」

緋燕は台座を作るのに使ったのこぎりを片付けた。

「はあ、貴人さまが大工仕事なんて、世も末ですよ」

「大工仕事というほど立派なものじゃないわ。主上に差し上げる走馬灯を作っただけ」

走馬灯はいわゆる回り灯籠である。

今夜の宴では、皇帝の誕生祝いに貴人たちがそれぞれ出し物をすることになっている。他の貴人たちは歌舞音曲を披露するらしいが、緋燕は走馬灯を献上するつもりだった。

「貴人たちはめかしこんできますよ。負けないように、身支度を頑張りましょう」

「容貌を点数化できるなら、私は十二人中最下位。張り合ったって無駄よ」

緋燕の容貌は可もなく不可もなし。十一人の美姫たちと並んで際立つほどの魅力はない。

「確かに李貴人さまは十人並みの容貌です。生来の華を持つ呉貴人や、臈長けた栄貴人、婀娜っぽい折貴人には到底かないません。だからこそ、気合を入れてめかしこまないと」

早く早くと四欲にせかされ、緋燕は工房を出た。

身支度のための部屋に入ると、待ち構えていた女官たちにおがくずまみれの衣服をはぎとられた。花びらを浮かべた湯船に放りこまれ、丹念に肌を磨かれたかと思うと、引き上げられて体を拭き上げられ、ほんのり火照った肌に香油を塗りこまれる。

化粧され、髪を結われ、衣を着せられている間は、黙ってじっとしていた。おとなしく人形に徹していないと、こっぴどく叱られてしまう。

「まあ、なんてお美しいのかしら！」

李貴人付きの筆頭女官である朱虹が歓声を上げた。

「みずみずしい白藍の衣が李貴人さまの涼やかな美貌を引き立てていますね！」

我が事のようにきゃっきゃとはしゃぐ朱虹は、二十六歳と聞いている。童顔のせいか、少女のような言動のせいか、十六の緋燕より、よほど乙女らしい。

「ありがとう、朱虹。お世辞だろうけど」

「お世辞じゃないですよ！　本当にとってもお綺麗です」

「んー、そこそこってとこですねえ」

衝立の後ろから顔を出した四欲が緋燕を値踏みするように眺めた。

「……上襦は白藍の絹地に水仙と燕を織り出した上物、玉石藍の生地に細かな梨花を散らした帯、胡蝶をかたどった黄水晶の帯留め、印金で花卉文をあらわした緑青色の裙……」

髪は複雑にねじり上げて髻を斜めに倒した朝雲近香髻に結い、かわせみの羽根をあしらった髪飾りと、琥珀を連ねた垂れ飾りが優美な銀歩揺を挿している。

真珠の白粉をうっすらとのせた細面、螺子の黛で描いた遠山の眉。ひたいには金箔の花鈿がきらめき、頬を彩る臙脂はごく淡い。唇は蓮の蕾のように染められていた。

「装いは完璧なんだけどなあ、素材が普通だから仕上がりも普通だなあ」

がっかりしたふうにつぶやいた四欲を、朱虹がキッと睨んだ。

「無礼ですよ、因少監。十分お美しいじゃないですか」

六侍妾に仕える主席宦官は、少監と呼ばれる。妃嬪付きの主席宦官は内監。太皇太后や皇太

后、皇帝や皇后に仕える主席宦官は太監という。

「十分お美しい、じゃだめなんだよ。ここはいずれ劣らぬ解語の花が咲き競う天子の箱庭。河原で見れば目を惹く可憐な花も、後宮ではそこら辺の雑草と同じだ」

「雑草には違いないわ。李家はたいした家柄でもないし」

「何をおっしゃっているんです。たいした家柄ですよ」

朱虹が緋燕に絹団扇を持たせた。鶯と梅が刺繍されている。

「主上の大伯父にあたる恵兆王殿下のお妃さまは李家出身でしょう？　恵兆王妃さまは皇太后付きの女官でいらっしゃるし、後宮でも何かとお気遣いくださるのでは？」

「叔父さまもそれを期待していたけど、望み薄ね。恵兆王妃さまは李家と距離を置いていらっしゃるの。遠縁の私のことなんか、ご存じですらないわよ」

「つまり……容姿が並みであるだけでなく、有力な親族の後押しはなしってことですか？」

「そういうこと」

緋燕がさらりと答えると、四欲は大げさに肩を落とした。

「せめて歌舞音曲に秀でているとか、華やかな特技があれば……」

「歌はものすごく下手だし、舞は舞踊の教師に才能がないって匙を投げられた腕前よ。音曲もいまいちね。琴も琵琶も三弦も、私が触ると、なぜか弦がぶつぶつ切れるの。縦笛ならかろうじて吹けるけど、叔母には殭屍の叫び声にしか聞こえないって言われたわ」

「……何かできることはないんですか」

「いろいろ作れるわよ」

「料理ですか！　いいですねー！　栄太后さまも美食で寵愛を得たんですよ」

四欲がにわかに上機嫌になった。緋燕は首を横に振る。

「ううん、料理は全然できない。私が作れるのは火薬、車輪、ねじ、からくり」

「織物や刺繍は……？」

「織り機なら作ったことがあるわ。でも、機織り(はたお)はからきし。糸がこんがらがってしまうの。刺繍って難しいわね。刺繍をやってくれるからくりがあればいいんだけど」

「……どうせなら、主上の寵愛を集めるからくりを作ってくださいよ」

「主上の目にとまるようなからくりってこと？　そうね、頑張ってみるわ。百戯(ひやくぎ)人形はどう？　水力で車輪を動かすと、人形たちが曲芸をしたり、楽器の演奏をしたりするの。仮天儀(かてんぎ)も造ってみたいのよね。仮天儀は星宿(せいしゆく)の位置に合わせて穴を開けた球体なの。真昼に中に入ると、太陽の光が穴から差しこんで星空が再現される仕組み。素敵でしょ？」

同意してくれることを期待したが、四欲は頭を抱えた。

「……あーもうヤダ担当の貴人替えてほしい」

「替えてもらえないの？」

「もらえないですよ！　まったく、俺には壮大な夢があるってのに……」

「壮大な夢って？」

「寵妃付きの宦官になることに決まってるじゃないですか。賄賂をたっぷりもらって、ばかでかい邸宅と別宅を建てて、外朝の官吏どもを顎で使う。これぞ全宦官の夢ですよ」

「悪いけど、私じゃ、あなたの夢を叶えてあげられないわ」

「諦めるのは早いですよ。主上のお目にとまるよう努力すればいいんです」

朱虹が緋燕の腕にかけた披帛を整えながら、励ましてくれる。

「努力って、どうするんだよ？　ねじだの、車輪だので主上の気がひけるか？　火薬をぶっ放して寵愛された妃が過去にひとりでもいたか？　無理だよ、李貴人じゃ無理」

四欲は長椅子にふんぞり返って煙管をくわえた。すっかりやる気をなくしたらしい。

「うん、私じゃ無理。みんな、ごめんね。出世させてあげられなくて」

「やけにあっさりおっしゃいますね。あなただって寵愛を得るために入宮したんでしょう」

違うわ、と緋燕はきっぱり否定した。

「私は文蒼閣（後宮書庫）に『幻西機巧図録』があるって聞いて入宮したの。知ってる？　西域のからくりを図で解説した本。ずっと読みたかったの。貴重な本だから書店には売ってないのよ。古今東西の書物を蒐集してる好事家の高官に貸してくださいって頼みに行ったけど、とんでもない料金を請求されたから諦めたわ。だけど、悪い人じゃなかったわよ。文蒼閣にはあるって教えてくれたの。後宮の書庫なら、タダで読めるでしょ？　だから」

「からくりの本を読みたくて入宮した？　ばかじゃないですか」

四欲が肘枕をして、紫煙を吐き出した。

「後宮は図書館じゃないんですよ。一度入ったら、二度と出られない場所なんです」

「先帝の後宮には、病を理由に退宮した妃嬪がいたって聞いたけど？」

「それは例外中の例外です。通常、宮嬪が後宮から退くのは、皇帝が崩御したときか、皇帝が退位したときです。どちらの場合も、皇子や公主がいる宮嬪は息子や娘の邸で暮らすことになりますし、子がいなければ道観に入って女道士になります。寵愛を得られなければ御子は授かりませんから、言うまでもなく後者の末路をたどるわけです」

「末路だなんていやな言い方ね。女道士だって、別にいいじゃない」

女道士の中には、詩作にふけって詩人たちと交際したり、医術の研究に勤しんだり、絵師や楽師として名をなしたりして、なかなか充実した生活をしている者もいる。

「退宮したら、私は火薬やからくりについて本にまとめたいな。西域の地理書や学術書を翻訳するのもいいかも。東方旅行にも行きたいわ。珍しい植物をたくさん記録したいし」

「やめてくださいよ、李貴人さま。まだ入宮なさったばかりなのに、退宮後の話なんて」

朱虹が苦笑いした。

（私は、寵姫になるために入宮したんじゃない）

もともと李家から入宮予定だったのは、従姉だった。緋燕は従姉の侍女として入宮するつもりだった。後宮に入ることができれば、どんな立場であろうとかまわなかった。

しかし、従姉が白粉にかぶれてあばた面になってしまったので、急遽、李家の令嬢として入宮することになった。緋燕にとっては願ったりかなったりだ。

どうしても入宮したかったのだ。ある目的のために。

朱虹に手を引かれて出かけようとしたとき、客人が来た。念貴人――念碧麗だ。

彼女と初めて言葉を交わしたのは、大婚の夜だった。花嫁たちに位階を授けた皇帝が退室した後、碧麗は緊張の糸が切れて気絶した。緋燕は彼女を芳樹閣まで送り、目覚めるまでそばにいた。おかげで親しくなり、よく行動をともにしている。

碧麗は緋燕と同じく今年で十七。天真爛漫で愛くるしい少女だ。

「まあ、緋燕！　とっても綺麗ね！」

客間に行くと、碧麗が可憐な笑みで迎えてくれた。桃の花吹雪を織り出した薄紅色の襦裙が幼さを残した愛らしい顔立ちに似合っている。

「どきどきしすぎて昨夜はちっとも眠れなかったの。寝不足が面に出ていないといいけど」

「百年の眠りから覚めたみたいに晴れやかな顔をしてるわよ。ずいぶんご機嫌なのね」

「当たり前よ！　だって主上の降誕祭ですもの！」

碧麗は緋燕の手を握って、ぴょんぴょんと飛びはねた。

「昨夜、眠れなかった理由が何だか分かる？　白状するとね、ずっと妄想してたの。天祥節の夜にはわらわが進御(しんぎょ)を命じられるんじゃないかしらって」

進御とは、天子の寝所に侍(はべ)って寵愛(ちょうあい)を受けることをいう。

婚礼から十日ほど経つが、いまだ進御を命じられた宮女はいない。

「龍床(りゅうしょう)で変なことを口走ったりしないかしらって心配したり、主上はどんなお言葉をかけてくださるかしらって考えたり、主上に抱きしめられたら……ふふ、ばかみたいよね」

頬を染めて笑う碧麗を、緋燕は微笑(ほほえ)ましく眺めた。

崇成帝・高遊宵は、碧麗の初恋の相手なのだ。

二人の出会いは六年前の上元節(じょうげんせつ)の夜。都の酒楼(しゅろう)で起きた火事に、碧麗の姉が巻きこまれた。

十歳の碧麗は野次馬(やじうま)でごった返す大路をさまよい、姉を探した。人波にもまれ、泣きながら姉を呼んでいた碧麗を助けたのが、当時、皇太子の位についていた高遊宵だった。

『泣かないで。涙で前が見えなくなってしまうよ』

皇太子は手巾(しゅきん)で碧麗の目元を拭き、彼女の手を引いて姉を探してくれたそうだ。

『お姉さまが火傷(やけど)をしていたから、皇太子さまは太医(たいい)を呼んで手当てしてくださったの』

いずれ玉座にのぼる青年に、碧麗は生まれて初めて恋をした。

『念家からも新帝の後宮に花嫁を献上するって聞いて、わらわは真っ先に名乗りを上げたわ。花嫁に選ばれないなら、侍女でもいいから入宮させてって、お父さまにお願いしたの』

運は碧麗に味方した。初恋の人に嫁(とつ)ぐことができたのだ。

「今日の碧麗はすごくきらきらしてる。主上の目にとまると思うわ」

「ありがとう。そうなると嬉しいわ」

恥ずかしそうに言って、碧麗は緋燕の左手をさすった。

「あなただって心の準備をしておくべきよ。龍床に召されてもいいように」

左手の薬指で光る銀の指輪は、いつでも進御できますという印だ。

寵愛を受けたら、指輪を右手につける。月の障りがあって夜伽できないときは、左手の中指に金の指輪をはめる決まりだ。今宵の碧麗と緋燕は、左手に銀の指輪をつけていた。

「ねえ、約束しましょう。もし、緋燕が進御したら、あとで詳しく感想を教えてね。わらわが夜伽に召されたら、どうだったか報告するから」

踊るような足取りの碧麗を伴って水鳥閣を出る。

宦官たちが担ぐ輿に乗り、緋燕は茜色に染まった空を睨んだ。

『幻西機巧図録』を読みたくて入宮したというのは嘘ではないが、完全な真実でもない。

（……必ず、母さまの仇を討つ）

復讐。それこそ、緋燕が後宮でなすべきことだ。

崇成帝——高遊宵は御年二十五である。

「十二人の美姫がそろうと目の薬だな」

玉座に腰を下ろし、皇帝は秀麗なる龍顔に微笑みを浮かべた。

金糸で五爪の龍が織り表された御衣、絹の大帯と玉石をちりばめた革帯、勇ましい飛龍の刺繡が輝く膝蔽い。きっちりと結い上げた黒髪には、十二旒の冕冠をつけている。

新帝の凜々しい姿は、宴席に集った貴人たちを圧倒した。

「まるで天女の宴だ。さしずめ余は、天宮に迷いこんだ村人といったところかな」

「貴人さま方が天女ならば、主上は天帝でいらっしゃるかと」

皇帝付きの主席宦官、刀太監が目元を緩めた。彼もまた、たぐいまれな美形だ。

「天帝とはおこがましい。今宵の余は、村人で十分だ。喜んで貴人たちの引き立て役になろう。天女と見紛う美姫たちに敬意を表して」

皇帝は機嫌がよさそうだ。実家の期待を背負って豪勢に着飾った貴人たちは、夫の上機嫌がうつったのか、花のかんばせをほころばせた。

「貴人たちは余のために余興を行うと聞いている。早速、楽しませてもらいたいものだな」

皇帝が目配せすると、刀太監が進み出た。

「呉貴人さまは嫦娥の舞を献上なさいます」

刀太監に促され、呉貴人は待ってましたとばかりに舞台にのぼった。

楽師たちが管弦を奏で始める。呉貴人はつややかな紅牡丹が織り出された舞衣をひるがえし、月の仙女のように舞った。

舞の妙手と名高い呉貴人の舞は噂にたがわぬ美しさだったが、二番手の栄貴人が披露した箜篌の腕前もかなりのものだったし、折貴人が描いた藤の花の絵も素晴らしかった。

貴人たちの余興には、皇帝から惜しみない賛辞と褒美が下賜された。

「清らかな歌声に心が洗われるようだったよ、念貴人」

碧麗が鶯のような歌声を披露すると、皇帝は笑顔で彼女をねぎらった。初恋の人に褒められたのがよほど嬉しいのだろう、碧麗は瞳をうるうるさせている。

（……主上って、どうしてこんなに冷淡に見えるのかしら）

末席で自分の出番を待ちながら、緋燕は不思議に思った。皇帝は終始にこやかで機嫌がいいのに、切れ長の瞳はひどく冷めている。貴人たちにかける言葉は甘くて優しいが、声の響きには何の感情もにじまない。ただ淡々と台詞を読み上げているといった印象だ。

「さて、李貴人は何を見せてくれるのかな？」

皇帝が緋燕に視線を投げた。氷に彫刻したような、冷たい微笑みを浮かべて。

「主上のご降誕にお喜びを申し上げ、龍鳳を献上いたします」

緋燕は四欲に命じて二基の走馬灯を舞台に運ばせた。どちらも灯籠に台をつけたものだ。

走馬灯は枠が二重になっている。外枠には雲母を散らした薄紙を張り、右側の走馬灯の内枠には瑞雲と龍、もう一方には牡丹と鳳凰の切り絵を貼った。

内枠に取り付けた蠟燭に火を灯す。すると、灯火からのぼる熱い空気で上部の風車が回転し、切り絵の影が外枠の紙面に映り、龍と鳳凰が大空を飛ぶように悠々と回った。

「龍鳳の戯れ、すなわち瑞祥なり」

有名な史書の一節を唱え、緋燕は玉座を振り仰いだ。

「主上の万福を心より祈念申し上げます」

龍は皇帝、鳳凰は皇后の象徴。龍と鳳凰の戯れは子孫繁栄を意味する。早く世継ぎが生まれるようにとの願いをこめて作った走馬灯だが……不手際があったのだろうか。

皇帝は何も言わない。龍顔からは、作り物の微笑すら消えていた。

（……鳳凰がお嫌いなのかしら）

龍の走馬灯には目もくれず、皇帝は走馬灯が映し出す鳳凰を睨んでいる。

「李貴人の献上品は、お気に召しませんか」

刀太監が息苦しい沈黙を破った。

「気に入ったよ。よくできているね」

皇帝はふっと表情を和らげる。何かを隠すような微笑みが、なんとなく引っかかった。

翌日、緋燕は文蒼閣に出かけた。

「これと、これもね。それから……」

書架から読みたい本を引き抜いて、四欲にぽんぽんと持たせていく。

「いい加減にしてくださいよ。どれだけ借りるつもりなんですか」

四欲が書物の陰からうんざりしたふうに顔を出した。

「俺の腕は美女と金子を抱くためにあるんです。こんなかび臭い本を持つために……」

「あっ！　これ、『踏月算経』だわ！　前王朝末期の算術書よ。刷られた数が少ないから、とってもも貴重なの。しかも三十六巻全部そろってるなんて信じられない。ああっ、『干戈総要』もある！　ねえ、見て『干戈総要』！　賛武時代に書かれた兵学書なんだけどね、武器や測量術についても記されているんだって。探し求めていた本よ。やっと出会えたわ」

緋燕は『干戈総要』を胸に抱いてうっとりした。

「兵学書を読んでる暇があったら、『金閨神戯』でも読んで勉強してくださいよ」

十二名の貴人には『金閨神戯』なる房中術書が配布された。閨中でどのようにして皇帝と情を交わすかということが、彩色された春宮画（春画）とともに全四十巻にわたって詳しくつづられている。宮女必読の書である。

「一通り読んだわよ。でも、お召しがなければ、実践する機会もないわ」

「その機会を得るために努力してくださいよ。古臭い書物に埋もれて、からくりなんかいじってないで、もっと美しく着飾るとか、主上の御前で目立つことをするとか」

「じゃあ、新型の兵器を開発しようかな。敵兵を一瞬で粉みじんにする火砲を造れば目立つわよね。普通の火薬じゃつまらないから、爆風を吸いこむだけで死ぬ毒火薬を使って」

「……どうしてそういう方向にいっちゃうんですか」

げんなりした四欲を連れて、書庫を出る。どっさり借りた本は荷車に積んだ。

屋外に出ると、蠟梅が香る風に被帛をさらわれそうになった。

「あれが敬事房ね」

書庫の黒い屋根の向こうに、瑠璃瓦をふいた建物が見える。

文蒼閣と隣接する敬事房は、皇后以下、妃嬪侍妾の進御をつかさどる官府だ。

長官である敬事房太監は、毎日夕刻になると、皇帝の部屋に宮女の名札をのせた銀盤を持っていく。皇帝は枕席に侍らせたい宮女の名札を取って裏返す。敬事房太監は指名された宮女を迎えに行き、天子の寝殿である仙嘉殿まで送り届ける。

「はあー。あなたにお仕えしてる限り、敬事房太監の顔は拝めないんでしょうねえ……」

「気を落とさないで。いつか担当を替えてもらえるかもしれないじゃない」

恨みがましい目をした四欲の肩を叩いて、緋燕は敬事房の屋根を見やった。

敬事房は皇帝の夜の生活を管理する以外に、宦官の人事もつかさどっている。

（十年前に内監だった宦官はどれくらいいるんだろう）

母の仇は手下の者から「内監」と呼ばれていたという。内監は妃嬪につく宦官のことだが、各役所の次官もそう呼ばれる。頭数は少なくないはずだ。

十年前、内監だった宦官の名簿を手に入れよう。緋燕の怨敵は、その中にいる。

「見て、緋燕！　わらわの凧があんなに高く飛んだわ！」

碧麗が空を指さして、きゃっきゃとはしゃいだ。

すがすがしい蒼穹では、極彩色の蝶をかたどった凧が優雅に風と戯れている。

早春のこの時期、人々は凧揚げに興じる。後宮でも凧揚げは人気で、宮女たちはさまざまな形の凧を鮮やかに色付けして大空に放ち、高さを競い合う。

緋燕も碧麗に誘われて、水鳥閣の内院で凧揚げに興じていた。

「知ってる？　凧が太陽と重なった瞬間に願い事を三回唱えると叶うんですって」

「へえ、初めて聞いたわ」

凧糸を操り、緋燕は金魚の形をした凧をさらに飛翔させた。

「緋燕なら、何を願う？　わらわは早く主上の目にとまりますようにって願うつもりよ」

天祥節の夜も、敬事房太監の訪いを受けた貴人はいなかった。

皇帝は大婚の夜から十二日間にわたって花嫁を一人ずつ仙嘉殿に召すのが通例である。その後は、気まぐれに侍寝の相手をかえた皇帝が多いが、十二人の花嫁にとりあえず一度は手をつけるのが慣例だった。今もって誰にも進御させていないのは、異例中の異例だ。

（女嫌いってわけじゃなさそうだけど）

皇帝は足しげく後宮に通ってくる。今日は呉貴人、明日は栄貴人といったふうに貴人の部屋を訪れているが、和(なご)やかな会話をするだけで帰っていくのだという。

「という」と伝聞調なのは皇帝が水鳥閣を訪ねてこないためだ。もっとも、緋燕は皇帝と話すことなどないので、放っておかれて助かっている。

「ああっ……！　わらわの胡蝶(こちょう)が……」

碧麗が声を上げた。凧糸が切れてしまったのだ。五彩の胡蝶は西の空へと飛んでいく。

「どうしよう……。折貴人の殿舎があるほうへ飛んでいったわ」

碧麗が青くなったのは、折貴人が付き合いづらい相手だからだ。名家出身であることを鼻にかけて威張り散らし、家格が劣る貴人たちを見下していやみを言う。

「私が拾ってくるわ。碧麗はここで待ってて。はい、私の凧をよろしく」

碧麗に自分の糸巻きを手渡し、緋燕は四欲を連れて水鳥閣を出た。

「よく飛ぶわねー」

悠然(ゆうぜん)と蒼穹を飛んでいく胡蝶の凧を振り仰いで、口笛を吹く。

「そうだ、飛行した距離を記録しよう。ええと、風向きは北西、風の強さは……」

「李貴人さま！　凧を追いかけるんじゃないんですか？」

両側を朱塗りの壁に囲まれた通路の先で、四欲が大声を張り上げた。いつの間にあんなところまで行ったのだろう。緋燕は裙の裾(すそ)を持ち上げて、彼を追いかけた。

「……何ですか、その瀕死(ひんし)の家鴨(あひる)みたいな走り方」

ようやく追いついた緋燕が前屈みになって肩で息をしていると、四欲が顔をしかめた。

「百年の恋も冷める奇妙奇天烈な走り方ですよ」

「そう？　普通に走ってるつもりだけど。私、運動が苦手だから、走り方も変なのかな」

「ちょっと走っただけで死にそうになってますけど、そんなことで侍寝できるんですか？」

「やろうと思えばできるわよ。侍寝は走り回らなくていいんだし」

「『金閨神戯』にいろいろ書いてあったでしょ。走り回るのと同じくらい体力要りますよ」

「そっか。でも、大丈夫よ。私は龍床に召されないから」

「……あーあ、なんでこんな人が俺の主人なんだろ。俺、すげーかわいそう」

哀れっぽく嘆息する四欲を伴い、凧を追いかける。美しい胡蝶は踊るように大空を泳ぎ、緩やかに降下していく。落下先は朱塗りの塀に囲まれた涼雲閣。折貴人の殿舎だ。

「あれって主上じゃない？」

緋燕は涼雲閣の門から出てきた人物に目をとめた。

十数名の宦官を引き連れて出てきた長身の青年は、金糸で龍が縫い取られた黒の長衣を着ている。後宮で見ることができる男性は、皇帝以外にいない。

「主上に拝謁いたします」

気づいてしまったからには素通りできない。緋燕は跪いて拝礼した。

「李貴人か。散歩にしては供が少ないな」

凧を追いかけてきたのだと、緋燕は事情を説明した。すると、皇帝は側仕(そばづか)えの刀太監に命じて、涼雲閣の内院に落ちた胡蝶の凧を持ってこさせた。

「凧揚げとは懐かしい。余(よ)も子どもの頃は、姉と一緒に凧を揚げたものだ」

「最近はなさらないのですか」

「だいぶ、していないな。宮女たちが凧揚げするのを見ることはあるけれどね」

「今日は凧揚げ日和(びより)です。よろしければ、水鳥閣にお運びください。ちょうど念貴人と凧揚げをしていたところなんです。主上がお見えになれば、念貴人が喜びます」

碧麗もまだ皇帝の訪いを受けていない。可能なら、皇帝と会わせてあげたい。

「意外に積極的だね。李貴人は寵を得ることに熱心ではないと思っていたが」

皇帝は皮肉っぽく微笑(ほほえ)んだ。

「寵を得たいなんて申していません。一緒に凧揚げをしませんかと申したのです」

「……李貴人さま、主上に口答えしないでください」

四欲が小声で言う。口答えはしてないわ、と緋燕は返事をした。

「私が寵愛(ちょうあい)を欲しがっていると、主上が勘違いなさっているみたいだから、訂正(ていせい)したのよ」

宦官たちが息をのむ気配がした。皇帝は面白そうに口角をつり上げる。

「君は寵愛が欲しくないのかい？」

「はい。欲しくありません」

「じゃあ、なぜ君は入宮したんだい？　実家に強要されて仕方なく？」

「いえ、入宮は自分で志願しました。後宮に私が読みたい本があると聞いたので。『幻西機巧図録』という西域のからくりを図解したものなんですけど」

四欲が血走った目で睨んでくる。正直に答えただけだが、問題があっただろうか。

「その本には寵愛と同程度の価値があるんだろうね」

「寵愛以上の価値があります。少なくとも私にとっては」

もはや、四欲は魂が抜けたように放心していた。よほどまずい返答だったらしい。

皇帝はふっと笑い、刀太監が持っていた胡蝶の凧を手に取った。

「あいにく、今日は時間がないんだ。凧揚げは次の機会にするよ」

皇帝が凧を緋燕に手渡した。例によって温かみのない微笑を残し、長衣の裾をひるがえす。

「主上って冷たい方ね」

「はあ⁉　さんざん無礼を働いといて何言ってるんですか⁉」

四欲が目をむく。黙っていれば妖艶な美形も、表情が豊かなせいで三枚目に見える。

「非難してるわけじゃないわ。ただ、主上ってひんやりした方だなって改めて思ったの」

碧麗が語る皇太子時代の高遊宵とは、ずいぶん印象が違う。まるで別人だ。

「またここに来ていたのか、遊宵」

聞き慣れた声に肩を叩かれ、遊宵は振り返った。

衝立の後ろから老齢の御仁が顔を出す。菊と鶴が織り出された長衣に紫紺の上衣。八十に差しかかる年齢であるにもかかわらず、背筋がしゃんと伸びていて、立ち居振る舞いには衰えを感じない。しわが刻まれた容貌は、若かりし頃の端麗な面影を残している。

先々帝――仁啓帝・高嵐快。嫡男、高圭鷹に譲位したのちは太上皇の位についていたが、高圭鷹が息子の遊宵に皇位を譲ったので、太上皇より上の無上皇という位についた。

「祖父上こそ、ここでよくお会いしますね」

皇帝が政務をとる暁和殿にほど近い書房。遊宵は政務の合間にここで一息つく。

「可愛い孫娘の顔を見たいからだ。おまえに会いたいわけじゃないぞ」

からかうように遊宵の肩を叩き、祖父は壁に飾られている姿絵を眺めた。

姿絵に描かれている妙齢の女性は、遊宵の異母姉・高鳳姫だ。

「鳳姫が嫁いでもう六年か。早いものだな」

七年前、北方の異民族・鬼淵が公主の降嫁を求めて入朝した。翌年、降嫁が許可され、鳳姫が鬼淵王に嫁いだ。決して非情な政略結婚ではなかった。鳳姫は鬼淵王と心を通わせ、自ら望んで降嫁した。二人は子宝に恵まれ、仲睦まじく暮らしているという。

「鳳姫はあちらで活躍しているそうじゃないか。戦場で窮地に陥った夫を救うため、敵兵の目をかいくぐって援軍を呼びに行ったとか。たいした女傑だ」

　祖父は誇らしげに笑った。

「活躍も結構ですが、危険なことは控えてほしいものです。せっかく鬼淵を懐柔するために送りこんだ手駒なのですから、つまらぬことで失っては困ります」

「ひねくれ者め。恋しい女が心配だと素直に言えばいいだろうに」

　祖父に小突かれ、遊宵は黙った。絵の中で微笑んでいる姉を見やる。

　――いや、実のところ姉ではないのだ。鳳姫は父・光順帝（現在の太上皇）の子ではない。彼女は母妃が密通して産んだ、不義の子だ。むろん、遊宵と血縁はない。

　だからこそ、遊宵は彼女に恋い焦がれた。姉としてではなく、異性として。彼女の純真さや、ひたむきさがまぶしかった。どこか間が抜けていて、危なっかしくて、目が離せない女人だった。遊宵はいつも彼女を視線で追いかけていた。それが叶わぬ恋だと知りながら。

　当の鳳姫は遊宵を弟としてしか見ていなかった。彼女の心を奪ったのは鬼淵王だった。始めこそ遊宵は二人の仲を引き裂こうとしたが、最後には身を引いた。遊宵の願いは鳳姫の幸せだ。彼女が鬼淵王と結ばれたいと望むのなら、阻むわけにはいかなかった。

　鳳姫の幸福を願い、恋心に折り合いをつけて別れたつもりだった。

　時間が経てば鈍く疼く心も落ち着くと思っていた。ほどなくして痛みは和らいだ。忘れられたと錯覚するほどに。しかし、勘違いだった。天祥節の宴で見た走馬灯が胸の疼きを呼び覚ました。走馬灯に映る鳳凰の姿は、異国へと旅立った初恋の少女を思わせた。

「……いつになったら、忘れられるのでしょう」

鳳姫への恋情は、父には秘密にしているが、祖父には打ち明けた。祖父なら、解決策を示してくれるような気がしたのだ。祖父もまた、許されない恋に苦しんだ過去があるから。

「忘れようとするな。どうせ徒労に終わる」

祖父の声音には、昔日を偲ぶ色があった。

「失った恋を塗りつぶすことなどできない。打ち消そうとすればするほど、苦しみが増す」

鳳姫さえ手に入るなら、玉座など捨ててもいいと思ったことすらある。だが、最も欲しいものは手に入らず、かねてから約束されていた皇位が遊宵の掌中に落ちてきた。

即位して十二人の花嫁を娶ったが、誰にも惹かれない。鳳姫以外の女人はみな同じだ。

（李貴人くらいだな。印象に残っているのは）

寵愛を受けるためではなく、からくりの本を読むために入宮したと臆面もなく言い放った李家の令嬢。それが本意かどうかは分からないが、にこやかな笑みを貼りつけて寵愛をねだってくる他の貴人たちよりも、遊宵に関心を惹きつけた。

「誰を喪おうと、何をつかみ損ねようと、天命が尽きぬ限り人生は続いていく。ならば、前に進むしかあるまい。過去を引きずりながら、半歩ずつ」

「心が死んでいても？」

「死にはしないんだよ、心というものは。長い眠りにつくことはあるが、それとて永遠ではない。いつか必ず、目覚めるときが来る。そのときを待て」

祖父が書房を出ていった後、遊宵は胸に手を当てた。

滾ることを忘れた心がいつか再び目を覚ます。そんな日が本当に来るだろうか。

鞦韆は本来、冬至から百五日目の寒食節に行われる遊戯である。しかし、三代前の至興帝の時代から、早くも一月の末には鞦韆が行われるようになった。

「仙女のようにお美しいですわ、呉貴人さま」

鞦韆に揺られつつ、藤の髪飾りをつけた折貴人が歌うように言った。

「あなたも素敵よ、折貴人。わたくしほどではないけれど」

同じく鞦韆をこぐ呉貴人が得意げに胸をそらす。天女と見紛う美姫たちが鞦韆で戯れる様は、舞い散る杏の花びらと相まって、仙境のような風情だ。

他の宮女たちは、呉貴人と折貴人をうらやましげに見つめていた。鞦韆は二台しかない。乗るためには並ばねばならず、どちらの鞦韆にも長蛇の列ができている。

「李貴人さま、じきに主上がお見えになりますよ。列にお並びになっては？」

朱虹が緋燕のそばにしゃがみこんだ。緋燕は木陰で書物を開いている。鞦韆ではしゃぐ宮女たちの声が聞こえる距離にはいるが、鞦韆の列からは遠い。

「んー、あとでね。今いいところなの。紫旦砂の性質が面白くて」

読んでいるのは、西域人が凱語で記した格致書（科学書）だ。西方における火薬の製法が紹介されている。紫旦砂なる鉱物は水と反応して爆発を起こすという記述が目にとまった。

「紫旦砂と水のみでは何も起きず、そこにわずかな火が加えれば爆発が起きる。水で溶いた紫旦砂を敵兵の頭上にぶちまけ、火矢を射れば敵兵を爆風で吹き飛ばすことが可能だ。しかし、紫旦砂は水で溶くと飛散して消えてしまうため、効果的な使い方ではない。また、紫旦砂は水を加えずに燃やすと、香木を一緒くたにして燃やしたような異臭が……」

「早く並ばないと、順番が回ってくる頃には主上が立ち去ってしまわれますよ」

「並んだって無駄。呉貴人と折貴人、主上がお見えになるまで鞦韆から降りないつもりよ」

呉貴人と折貴人は見るたびに一緒にいる。折貴人が呉貴人について回っているという印象だが、呉貴人も折貴人におだてられて調子に乗っているようだから、馬が合うのだろう。

「そうはいきませんよ。栄貴人の取り巻きが黙っていませんから」

朱虹の予想通りになった。待てど暮らせど鞦韆に乗れない貴人たちが騒ぎ出したのだ。

「栄貴人さまをいつまで待たせるおつもりかしら？」

「六侍妾の中では栄貴人さまが一番妃嬪に近い方ですのに。もっと敬意を払うべきだわ」

「お二人とも主上の目にとまろうと必死なのよ。栄貴人さまほど美貌ではないから」

止貴人、染貴人、蘇貴人。三人とも栄貴人の取り巻きだ。栄貴人は皇太后の姪だから、恩恵にあずかりたいのだろうが、取り巻かれる当人は椅子に腰かけてぼんやりしていた。

一方、栄家出身の侍女たちはやる気満々である。自分たちの主人が皇帝の寵妃になると豪語してはばからない。今も止貴人らの加勢をして、呉貴人と折貴人を罵っている。

「うるさいわね。いくら育ちが悪いからって、鶏みたいにわめかないでちょうだい」

被帛をひらめかせながら、呉貴人が居丈高に言い放った。

「呉貴人さまが鞦韆を独り占めなさるからです。そろそろ栄貴人さまにお譲りください」

「いやよ。わたくしはもっと鞦韆で楽しみたいの」

「なんてわがままな方かしら。ああいう性格だから、主上に召されないのよ」

「蘇貴人。あなた、わたくしを非難できる立場？　あなただって召されていないでしょ」

「少なくとも立場は違いますわ。太皇太后さまの大姪なのに、いまだに夜ごと独り寝なさっている呉貴人さまとは。高貴なご身分では補いきれないほど魅力がないのでしょうね」

呉貴人が言い返し、折貴人が加勢する。蘇貴人も負けじと言い返し、止貴人たちもいやみを吐き出す。さらに呉貴人の取り巻きたちが参戦し、罵声大会が始まる。

「はあ……。早くから並んでいたのに、もう鞦韆どころじゃないわ」

列に並んでいた碧麗が逃げるようにして木陰にやってきた。

蘇貴人たちは呉貴人と折貴人を腕ずくで鞦韆から引きずり降ろそうとしている。呉貴人と折貴人は鞦韆にしがみついて離れず、他の貴人たちも入り乱れての乱闘騒ぎだ。

「ん？　碧麗、左目にほくろなんてあった？」

「ふふ、ちょっと大人っぽいでしょう？　黛で描いたの」

　碧麗は左の目元を指さして、桃の花がほころぶように微笑んだ。

「主上の書房に美人画が飾ってあるらしいんだけどね、絵の中の美人は左目にほくろがあるんだって。主上はよくその絵を眺めていらっしゃるから、泣きぼくろのある女人がお好きなんじゃないかって噂になってるのよ。それでみんな、お化粧で泣きぼくろを描いてるの」

　他の貴人たちも泣きぼくろの化粧をしているという。

「――主上のおなりです」

　刀太監の声が響いた。格闘まがいの騒ぎを繰り広げていた貴人たちははっと我に返り、慌てて跪く。緋燕はしぶしぶ本を閉じて、碧麗の隣で拝礼した。

「やけに衣服が乱れているね。鞦韆ではしゃぎすぎたのかな」

　皇帝が軽やかに問うた。おそらく、そばで様子を見ていたのだろう。

「主上、蘇貴人と染貴人を罰してくださいませ」

　呉貴人が桜桃のような唇を尖らせた。

「お二人は鞦韆に乗っていたわたくしを力ずくで引きずり降ろそうとなさったのですわ。あまりに乱暴なことをなさるから、わたくし、恐ろしくて……」

「まあ、猫かぶりがお上手。先ほど、私を蹴りつけたのは呉貴人さまではなくて？」

蘇貴人がふんと鼻を鳴らす。呉貴人はキッと彼女を睨みつけた。

「妙だな……。二人とも、目尻にほくろなんてなかったはずだけどね」

睨み合う蘇貴人と呉貴人を、皇帝は交互に見やった。

「これはお化粧ですわ。主上は目尻にほくろのある女性がお好きだとうかがいましたので」

「最初に始めたのは私です。いつの間にか、呉貴人さまにまねされてしまいましたけど」

「貴人は全員、面を上げよ」

綸言が響き渡り、十二名の貴人たちは鞭打たれたように顔を上げた。

「敬事房太監に伝えよ。今宵、李貴人に進御を命じる」

皇帝が刀太監に命令した。貴人たちの視線がいっせいに緋燕に集まる。

「恐れながら主上。李貴人の何がお気に召したのでしょう」

引きつった笑みを浮かべて尋ねたのは、蘇貴人だった。

「進御にふさわしい方は、他にもいらっしゃいますわ。栄貴人さまは……」

「誰がふさわしいかを決めるのは余だ。君ではない」

冷え切った返答が降る。皇帝が龍衣をひるがえすので、貴人たちは拝礼して見送った。

夜伽の仕度は、原則として、敬事房太監が迎えに来るまでに済ませておく。

「さあ、李貴人さま。最後は爪化粧です」

湯浴みと寝化粧が済むと、朱虹は磁器の合子（ふた付きの容器）をどっさり持ってきた。

「爪を金粉や銀粉入りの顔料で塗るのが流行ってるんですよ。何でも、蘇貴人が始めたらしいですけど、今では呉貴人や折貴人もなさっているそうで。鳳仙花の爪紅より、きらびやかで素敵なんです。さて、金粉で爪が痛まないように、まずは爪脂を塗りましょう」

「これって、霊猫香が入ってない？」

「ええ、たっぷり入っていますよ。いい香りでしょう」

朱虹は笑顔で爪脂を小指に取ったが、緋燕は思いっきり顔をしかめた。

「申し訳ないんだけど、私、霊猫香が苦手なの」

猫と名がつくものは嫌いだ。いやな記憶を呼び覚ますから。

「まあ、困りましたね。金粉用の爪脂には霊猫香が入っているものですから……」

「いつもの蜜蠟の爪脂でいいわよ。きんきらの爪なんて、私に似合わないし」

爪をきらきらさせたところで、絶世の美女になるわけでもなし。

支度を終えて化粧部屋から出ると、四欲が上機嫌で緋燕を褒めちぎった。

「李貴人さま！　なんとお美しい！　太祖が生涯で最も愛した百花夫人、神仙のごとき容色で二人の皇帝を惑わせた朋皇后、残忍無比なる賛武帝の寵を独占し続けた湖麗妃。いずれ劣らぬ帝王の愛妃たちを恥じ入らせるほどの美貌がまばゆく光り輝いております」

緋燕は絹の夜着姿で、髪も結っていない。どう考えても大絶賛される艶姿ではないが。

「よくそんな長台詞をすらすら言えるわね」

「李貴人さまを賛美する言葉なら、幾千幾万と申せますよ」

おべっかに、揉み手。変わり身の早さにいっそ感心する。

「まったく、因少監は調子がいいんだから。李貴人さま、因少監を信用なさらないでくださいね。この人、仕えていた妃嬪の名前で借金したことあるんですよ。しかも五回も」

「いい加減なことを言うなよ、舎氏。五回じゃなくて四回だ。五回目は未遂」

「似たようなものでしょ。因少監はホントお金にだらしないんです。博打好きで、あちこちに借金してるし。おまけに、宦官のくせに好き者で、女癖が悪いんですよ」

「何が『宦官のくせに』だ。宦官と結婚してる女に言われたくねえよ」

「ねえ、なんで私が進御を命じられたんだと思う？」

あのとき、緋燕は目立つことをしたわけではない。

「決まってるじゃないですか。主上が李貴人さまの魅力にお気づきになったからですよ」

そんな雰囲気ではなかった。皇帝は明らかに機嫌が悪そうだったのだ。

刻限になり、敬事房太監・豹太監が緋燕を迎えに来た。

「李貴人さま、このたびはおめでとうございます」

軽やかに礼をとった豹太監は小柄な美少年だ。年齢は十七、八くらいだろうか。錦鶏が縫い取られた藍鉄色の官服をまとい、金糸の刺繍が映える宦官帽をかぶっている。

「お若い太監ですね」

栄太后付きの暦太監と皇帝付きの刀太監はともに三十代。二十八歳の四欲は素行がよろしくないから出世が遅いのだとしても、十七、八で太監とは栄達が早い。

「豹太監は別に若くないですよ。四十は超えてますし」

「え……？　でも、私と変わらない年頃に見えるわ」

「ですよねー。俺が十歳で後宮に入ったときから、ずーっと紅顔の美少年なんですよ。てっきり仙人かと思ってましたけど、外見が年を取らない奇病だそうです」

四欲が言うと、豹太監は苦笑した。

「僕は正途じゃないので、せめて風貌くらいは年相応の貫禄が欲しいんですけどねぇ。この見た目のせいで、『永遠の十八歳』なんて言われて、配下たちに軽んじられていますよ」

後宮には内書堂という宦官学校がある。内書堂出身の宦官は正途と呼ばれ、優先的に出世街道を歩んでいく。太監の多くは正途だから、豹太監は叩き上げなのだろう。

（今が四十代ということは、十年前は三十代……。内監だったのなら、仇候補だわ）

金塗りの輿に乗せられ、緋燕は仙嘉殿へ連れていかれた。

いたるところに威風堂々たる龍文が彫刻された天子の寝殿は、さながら龍の巣だった。

豹太監に先導されて屋内に入り、手前の部屋で四欲と別れる。ここから先は敬事房の宦官しか入れないらしい。緋燕は豹太監とその配下に伴(ともな)われて朱塗りの長廊(ちょうろう)を歩いた。

(『金闈神戯(きんけいしんぎ)』をおさらいしてきたし、大丈夫よね)

さすがに緊張してきた。深呼吸をして気分を落ちつかせる。

やがて長廊が終わり、極彩色の扉が現れた。浮き彫りにされた黄龍(おうりゅう)が紅瑪瑙(べにめのう)の瞳でこちらを睥睨(へいげい)している。宦官たちが扉を開くと、黄龍が口を開けたような錯覚に陥った。

「主上、李貴人さまをお連れいたしました」

奥の間に進み、豹太監が跪いて拝礼した。緋燕も彼にならう。

「下がれ」

ねぎらいの言葉はない。豹太監が退室すると、室内は重苦しい沈黙に支配された。

酒を注ぐ音がする。そして、杯を傾ける音。燭台(しょくだい)の火が焦れたように揺らぐ。

「君も飲みなさい」

緋燕は立ち上がって酒杯を受け取った。

「酔うまで飲めばいい。寵愛を望まないのに龍床(りゅうしょう)に侍(はべ)るんだ。素面(しらふ)ではいられないだろう」

五爪(ごそう)の龍が織り表された夜着姿で、皇帝は紫檀(したん)の椅子(いす)に腰かけていた。黒煙で燻(いぶ)したような髪をひとつにくくって右肩に流している。美しく整った面輪(おもわ)には天井から吊るされた宮灯(きゅうとう)が複雑な影を落とし、物憂(ものう)げに伏せられた目元には冷たい色香が匂(にお)う。

「お気遣いには感謝いたしますが、私は酔わずに務めを果たします」

緋燕は酒杯を円卓に置いた。皇帝はかすかに笑う。

「気丈だね。好きでもない男に抱かれなければならないのに」

「それが宮女の務めですから」

しまった。嘘でも、「敬慕する主上に召されて光栄です」と言うべきだったか。

「その通り。皇帝に求められたら応じるのが宮女の務めだ。拒むことはできない。皇帝の意にそわぬことをすれば、たちまち首が飛ぶ」

皇帝は杯を干した。円卓に頬杖をついて、苦い笑みを浮かべる。

「というのは建前。実のところ、皇帝の手足は見えない鎖で縛られている。たとえばここで余が君の首をはねたとしよう。いや、そこまでしなくても、平手で一度殴った、でもいい。皇帝の凶行は疾風のごとく宮中を駆け巡り、崇成帝は灰壬帝の再来だと噂される」

灰壬帝――在位中、数千の宮女を殺めた残虐皇帝。

彼は十三で即位してから二十で弑逆されるまで、ささいな理由で宮女を殺し続けた。酒をこぼした、言葉遣いが癇に障った、機嫌が悪いときに視界に入った……。

最も理不尽な動機は「雨が降っていたから」。灰壬帝は雨を毛嫌いしていた。雨が降るたび、宮女たちは遺書を書いて皇帝の暴虐に備えたという。

「君主は評判が命だ。はじめは小さな瑕瑾だった悪評が、いつの日か大きな災厄を招く。安心するがいいよ、李貴人。君が少しばかり非礼を働いたところで、余は何もしない。首ははねないし、手も上げない。即位して間もないのに、灰壬帝に比されては困るからね」

「主上は英邁であらせられます」

「褒めてくれるのかい。嬉しいね。さて、仕事を早く済ませてしまうか」

皇帝が立ち上がる。緋燕は面を伏せて夫に従った。銀漢のような珠簾をかき分けて続きの間に入る。香炉から立ちのぼる龍涎香の匂いにあてられて、淡いめまいを覚えた。

「ひとつお尋ねしたいのですが、なぜ私に侍寝をお命じになったんですか？」

「君があのばかげた化粧をしていなかったからだよ」

皇帝は牀榻に腰を下ろした。

「他の貴人たちは左の目尻にほくろを描いていただろう？　聞けば、余の書房に飾ってある絵のまねをしたらしいじゃないか。まったく、愚かしいことだ」

「そんなことで？」

ほくろを描いていなかった。たったそれだけのことが、緋燕が選ばれた理由。

「もっと甘い理由がよかったかな？　君に一目で心奪われたと言い直そうか？」

「いえ……。ただ、不憫に思ったのです」

緋燕は臆することなく皇帝を見つめた。

「貴人たちは主上の気を惹こうとして工夫をこらしていました。不運にも逆鱗に触れてしまいましたが、その健気な努力さえ愚かと一蹴されては、貴人たちがあまりに哀れかと」

碧麗は皇帝の好みの女人に近づこうとしてほくろを描いた。彼女の純粋な恋心まで愚かしいと言われるのは、納得がいかない。

「驚いたな。選ばれなかった貴人たちに同情しているのかい？　彼女たちは君の敵だろうに」

「他の貴人たちと対立するつもりはありません」

「君は後宮で唯一、龍床に召された貴人だ。むろん、嫉妬される。いやがらせは明日から始まるだろう。いやみや皮肉なら可愛いものだが、後宮では残忍な事件も起きるよ」

緋燕は黙っていた。皇帝が言っていることは、何も間違っていない。

「君は理性的な女性らしいから、率直に話しておこう。君が明日からどんな悪意にさらされ、貴人たちに敵意を向けられようと、余は一切かかわらないし、君を助けない。自分の身は自分で守るんだ。余が守ってくれるなどとは、期待するな。いいね？」

「承知しました。私事で主上をわずらわせないとお約束します」

皇帝は凄むように目を細め、ふっと表情を緩めた。

「物分かりがいいね。浅はかな他の貴人たちとは違う」

「……浅はか、とおっしゃいますか」

「愚昧といったほうがより正しいかな。どちらも大差ないけどね」

「そのようなおっしゃりようは、冷酷すぎます。貴人たちは実家の期待を背負って入宮してきたんです。主上のご寵愛を受けられるよう、心を尽くすのは彼女たちの――」

ぐいと腕を引っ張られ、緋燕は皇帝に抱き寄せられた。

「無駄話はこれくらいにして、我々の務めとやらを始めようじゃないか。知っているだろう？　隣室では彤史（とうし）が聞き耳を立てている。閨中（けいちゅう）の顚末（てんまつ）を書き記すためにね。くだらないおしゃべりばかりしていては、余計な仕事で彤史を疲れさせてしまうよ」

彤史とは、敬事房に属する女官だ。進御（しんぎょ）の際、閨（ねや）の中でどのような会話が交わされたか、どのような秘戯が行われたか、遺漏（いろう）なく詳記するため、寝間の隣室に控えている。

「主上は貴人たちがお嫌いなのですか」

やわらかな褥（しとね）に体を横たえられ、緋燕は皇帝を見上げた。

「幼稚な化粧（けしょう）で余の関心を買おうとする連中だ。虫唾（むしず）が走るよ」

皇帝は宮灯の艶（つや）っぽい明かりを背にしている。薄情な口元はいびつな笑みを刻んだ。

「余が灰壬帝なら、十一人全員の顔を焼いていた。二度と化粧ができないように」

ぞわりと皮膚（ひふ）が粟立（あわだ）ったのは、恐怖のためではない。怒りのせいだ。

緋燕は帯を解こうとした皇帝の手をつかんだ。玉のように冷たい、天子の手。

「歯を食いしばってください」

「……は？」

皇帝が怪訝（けげん）そうに眉（まゆ）をひそめたとき、緋燕は上体を起こして彼に頭突きを食らわせた。

「自覚がないようなのであえて申しますが、あなたは灰壬帝にそっくりです」

ふつふつと憤りがわき上がってくる。なんて非人情な天子だろう。何とかして寵愛を得ようとする貴人たちのいじましい努力を嘲笑い、浅はかの一言で片づけてしまうとは。

「……李貴人？　どこへ行く？」

緋燕は石頭なので平気だが、皇帝はひどく痛そうに頭をおさえている。

「私事で主上をわずらわせないとお約束しましたので、御前を辞させていただきます」

「……私事？」

「私、主上のことが大嫌いなんです。これ以上、暴言を吐く前に失礼いたします」

緋燕は礼儀正しく拝礼してから、寝間を出た。すたすた歩いて黄龍の扉を押し開ける。すると、ほくほく顔で弁当を食べていた豹太監がぎょっとして目を見開いた。

「え……もう済みましたか？」

「ご不興を買ってしまったみたいです。出ていけと命じられました」

まさか、皇帝にイラついたので頭突きを食らわせて勝手に出てきたとは言えない。

「そうですか……。それは残念でしたね」

「ええ、本当に残念です」

緋燕は黄龍の扉を振り返った。

後宮――そこは不幸の源泉だ。冷血な帝王が君臨している限り。

「今日は機嫌が悪そうだな」

気づかわしげな大伯父の声で、遊宵ははたと我に返った。

暁和殿の一室。午後の政務を片付けていたら、大伯父と叔父が訪ねてきたのだった。

大伯父は祖父・無上皇（仁啓帝）の異母兄にあたる恵兆王・高夕遼、叔父は父・太上皇（光順帝）の異母弟にあたる呂守王・高氷希。どちらも親しく付き合っている皇族だ。

「眉間にしわが寄っているぞ。朝議で何か問題でも？」

呂守王が眉間を指さして見せた。知命を過ぎているが、端麗な容貌は今もって若々しい。

「いえ、朝議はつつがなく」

「呉家と栄家が寵愛を催促しているんだって？」

「矢のような催促ですよ。のらりくらりとかわしていますが」

「鳴り物入りで娘を入宮させたんだ。早く元を取りたいんだろう」

遊宵は恵兆王に椅子をすすめた。先日、階段で転びそうになった恵兆王妃をかばって、大伯父は膝を痛めている。八十近い老体でもあるから、立たせておくわけにはいかない。

「聞いたぞ、昨夜は貴人に進御させたそうじゃないか。俺も安心した。一人でも気に入る娘がいてよかったな。これで栄太后は肩の荷が下りるだろう」

恵兆王がのんびりと茶をすすっている間、遊宵は軽くひたいを押さえていた。

(李貴人……意外に厄介な女だな)

寵愛を望まない不愛想な貴人。正直者で物分かりがよく、扱いやすい娘だと思ったのは間違いだった。まさか、龍床で皇帝に頭突きをしてさっさと退室する剛の者だとは。

(俺が他の貴人たちを軽んじたことに腹を立てたらしいが……)

自分が侮蔑されたわけでもないのに、なぜ憤る必要があるのか、さっぱり分からない。

寵愛は欲しくないと言い、からくりの本のために入宮したと言い、遊宵に面と向かって大嫌いだと言い残して立ち去る。なんとも不可解な女だ。

「そういえば、大伯母上は李家の方でしたね」

李貴人は恵兆王の正妃・李淑葉の大叔父の孫の娘だ。

「大伯母上は初夜の床で頭突きをなさいましたか」

「頭突き?　何の話だ?」

当惑する恵兆王を見るに、恵兆王妃は頭突きをするような婦人ではないらしい。

「大伯父上と叔父上がうらやましいですよ。後宮をお持ちでないから」

「泣き言を言うな。まだ始まったばかりでその体たらくでは、この先どうする」

呂守王が愉快そうに笑った。

「おまえの父上も後宮の扱いには苦心なさっていた。難儀には違いないし、次々に生じる問題には悩まされるだろうが、生涯の伴侶を見つければ、心の支えになる」

「生涯の伴侶、ですか」

「お前の父、光順帝にとっての栄皇后のような女人を見出すがいい」

　父、光順帝は後宮にあまたの宮女を持ちながら、皇太子時代に娶った栄鈴霞を深愛した。栄鈴霞はなかなか身籠らなかったにもかかわらず、君寵はいやますばかりであった。

　父が譲位して太上皇になり、母が栄太后となった今も、二人は仲睦まじい夫婦だ。

（生涯の伴侶なんて、この国にいるのか）

　ふと、愛嬌を前世に忘れてきたような李貴人の澄まし顔を思い出し、遊宵は眉根を寄せた。


「気にしちゃだめよ、緋燕」

　碧麗に励まされ、緋燕は「そうね」と微笑みを返した。

　視界の端では、取り巻きの美姫たちを引き連れて去っていく呉貴人が見える。

『あなた、龍床から叩き出されたんですって？』

　碧麗と桃林を散策していると、呉貴人の一団に出くわした。

〈一団〉というのは、誇張ではない。呉貴人は太鼓持ちの折貴人を始めとして、四人の貴人を伴っていた。それぞれ使用人たちをぞろぞろ引き連れているから、かなりの大所帯だ。

『せっかく召されたのに追い出されるなんて、いったい何をして逆鱗に触れたの？』

呉貴人は高慢そうな目元を嘲笑の形に歪めていた。

緋燕が進御を命じられたので、呉貴人はかんしゃくを起こして舞衣を何着も引き裂いてしまったそうだ。しかし、緋燕が閨から追い出されたと聞き、溜飲を下げたと見える。

『それをお尋ねになるのはあまりに酷ですわ、呉貴人さま』

金色の爪を見せつけるようにして口元を隠し、折貴人がくすくす笑う。

『李貴人は御前に参上しただけでご不興を買ってしまったのでしょう。何せあの地味顔ですもの。着飾っていても華がないのです。仙嘉殿に参上するときは髪をおろした夜着姿だったのですから、野良仕事から戻った農婦のようにみすぼらしかったに違いありません』

『まあ、かわいそう。容貌に恵まれないって不幸ね』

呉貴人も金色に光る長い爪を見せつけるようにして嘲笑い、立ち去っていった。

「昨夜はたまたまご機嫌が悪かったのよ。きっと次の機会があるわ」

碧麗は励ましてくれたが、緋燕の心は晴れなかった。

（……碧麗と出会った頃の主上と、今の主上は全然違うんだわ）

皇帝は貴人たちを蔑む冷酷な男だ。敬愛するに値しない。碧麗にそう話したかったが、できなかった。そんなことを言えば、碧麗が胸に抱き続けてきた恋は無意味だったと批判することになってしまう。碧麗を傷つけたくないから、黙っているしかない。

憂鬱な気分を引きずりながら夜を迎え、寝支度をしていたとき。

永遠の十八歳こと豹太監が水鳥閣を訪ねてきた。

「おめでとうございます、李貴人さま。今夜も主上はあなたさまを指名なさいました」

「えっ、ほんとですか⁉　昨夜はうちの女主人が無礼を働いたのに⁉」

異動願いを書いていた四欲が筆を放って小躍りした。

「昨夜の非礼については何もおっしゃっていませんでしたよ。ご機嫌もよかったですし」

宮女に頭突きされて機嫌がいいとは、これいかに。

「昨日から今日にかけて、主上は太医（宮廷医）の診察をお受けになりましたか」

皇帝の体は最上級の宝玉に等しい。ほんの小さな怪我でも大事になる。石頭の緋燕に頭突きされて皇帝は痛そうにしていたし、念のため、太医に診せていても不思議はないが。

「太医？　いいえ、そのような報告は受けておりません」

ならば、皇帝は緋燕が働いた〈非礼〉の内容を秘密にしているのだ。

仕度を済ませて水鳥閣を出るとき、緋燕は薬箱を持ってくるよう四欲に命じた。

「主上が昨夜おっしゃったの。私の宝物を見たいって」

「李貴人さまの宝物って薬箱なんですか？」

宝物でも何でもないが、おそらく今夜はそれが必要だ。

「申し訳ありませんが、仙嘉殿には私物を持ちこめない決まりなんですよ」

「豹太監はおいしそうなお弁当をお持ちでしたね。腕利きの料理人が作ったものでしょう」

「あれは妻が作ってくれたんですよ。妻は料理が得意でして」

古の後宮では、宦官の妻帯は厳禁だったが、昨今は宦官も妻帯する。相手は女官が多い。

「私を案内してくださったときは、豹太監も配下の方も、提灯以外は何もお持ちではありませんでした。夜食が入っていた食盒は、臥室の扉を閉めた後で持ちこまれたものですね」

宦官も仙嘉殿に私物を持ちこめないのだ。だから、あとでこっそりと持ちこまれた。

「……薬箱の中身をあらためさせてください。危険なものは取り除きます」

豹太監に薬箱の持ちこみを許可してもらい、緋燕は仙嘉殿に向かった。

臥室に入ると、皇帝は昨夜と同じように酒を飲んでいた。

「それは何だ」

「薬箱です。主上の御為に持ってまいりました」

皇帝はいぶかしげに眉をはね上げたが、何も言わず、豹太監を下がらせた。

「君は石頭だな。おかげで今日一日、頭が痛かった」

「太医にはお診せにならなかったんですね」

「閨で宮女に頭突きされたなどとは言えないだろう」

あるいは、緋燕のために口をつぐんでくれていたのだろうか。皇帝が頭突きされたと訴えれば、緋燕は厳しく処罰されるから。

「湿布を作りますので、しばらくお待ちください」

跪いたまま、緋燕は薬箱を開けた。粉末にした湿布用の生薬を薬草水で練る。

「君は医術の心得があるのか」

「心得があるというほどでは。自分の病気や怪我を治せるくらいです」

練った湿布薬を布に塗り、夜着をまくって自分の腕に貼った。皇帝の体に悪影響があっては首が飛ぶので、安全であることを確かめなければならない。

「主上に変わった趣味がおありとは、驚きました」

「変わった趣味？」

「私に頭突きされたのに、主上はご機嫌だったと、豹太監がおっしゃっていましたので」

「機嫌よくふるまっていただけだよ。余が眉間にしわを寄せていたら、逆鱗に触れることをしただろうかと周囲の者が怯える。気を遣わせたくないから、本音は面に出さない」

ちらりと皇帝を見上げた。若々しい龍顔からは、どんな感情も読み取れない。

「昨夜はなんであんなに腹を立てていたんだい」

「主上が他の貴人たちを蔑み、彼女たちの苦心に理解を示してくださらなかったからです」

「君は自分が侮辱されたわけでもないのに憤るのかい」

「自分が侮辱されたも同然です。なぜなら、私も貴人ですから。他の貴人たちが主上に侮られ、軽んじられることは、私自身が同様のことをされるのと変わりません」

氷を彫刻して作ったような美貌の君王。彼の心も、容貌のように冷たいのだろうか。

「今宵も主上が貴人たちを貶める発言をなさるなら、進御は辞退させていただきます」

「二晩続けて皇帝の意にそむくと？　そんなことを余が許すと思っているのか」

「主上はいやがる女人を組み敷くのがお好きですか」

「君が素直に従わないなら、そうせざるを得ない」

「では、どうぞご随意に。私は全力で抵抗しますが、かまわず手籠めになさってください」

緋燕は口元に淡い笑みを刷いた。

「閨の顚末は大なり小なり、明日には宮中に伝わります。主上が泣き叫ぶ私を手籠めになさった。噂を聞いた人々は、波業帝の蛮行を思い起こすでしょうが、よろしいのですね？」

灰壬帝の跡を襲って即位した波業帝は女の悲鳴を好んだ。

閨では龍床に侍る妃嬪を鞭打って楽しみ、宮女を醜い宦官に辱めさせて喜び、臣下の妻妾を夫の目の前でなぶり者にして面白がった。

女たちが泣き叫ぶ声を「仙界の調べ」と呼んで楽譜に記した、淫虐の天子である。

「……先祖のことを悪く言いたくはないが、我が高家には危険人物が多すぎるようだね」

「暴君の数は、凱よりも前王朝のほうが少ないです。ただし、前王朝には凡庸な皇帝が多く、凱には傑出した君主が多いので、君王の功罪を単純に比較することはできません」

「……椅子に座りなさい、李貴人。床は冷えるだろう」

皇帝は溜息をついて肘掛けにもたれる。緋燕は命令に従った。

「要するに余は、君の同意なくして契りを結べないわけだ。そして、その同意とやらを得るには、他の貴人たちを蔑まず、理解を示すことが条件となっている」

「主上は英邁であらせられます」

「……英邁なのは、君のほうだろう。いやみな女だな」

「いやみを申したつもりはありませんが、逆鱗に触れたのなら御前を辞させていただきます」

「勝手に出ていくな。……湿布はそろそろいいんじゃないか」

緋燕は湿布をはがして皮膚に異状がないことを確認した。寝間に移動し、皇帝に横になってもらう。ひたいに湿布をのせると、皇帝は美しい顔をしかめた。

「薬臭い」

「薬ですから。我慢してください」

緋燕は牀榻のそばに跪いていたが、皇帝が牀榻に座れと命じるので褥に腰を下ろした。

「……何か話さないのか」

黙っていると、皇帝に下から睨まれた。

「主上は頭が痛いとおっしゃっていました。私の声が頭痛を悪化させてはいけません」

「君の声は春雨のように静かだよ」

皇帝は深く息をついた。端麗な面差しに幾分、疲れがにじんでいる。

「お疲れなら、このまま御寝あそばされませ」

「侍寝が済んでいないぞ」

「疲労時の房事は玉体を損ねます。ご健康のため、肉欲を退けて休養なさらなくては」

緋燕は立ち上がり、皇帝の体に綾錦の布団をかけた。

「君はどうする？ 帰るのか？」

「出ていけと命じられれば退室いたしますが、何もおっしゃらないなら、ここにいます」

再び牀榻に座る。皇帝は目を閉じたが、すぐにまぶたを開けた。

「君も布団に入りなさい」

「疲れていらっしゃるときに交接なされば、御身に負担が……」

「一晩中、そこにいたら風邪をひく。体を冷やさないために、君も布団に入れ」

「お気遣いに感謝いたします。けれど、私が添い寝すれば、睡眠の妨げになりませんか」

「そうやってじっと見つめられているほうが、よほど睡眠の妨げだよ」

「では、おやすみの邪魔をしないよう、あちらの壁を見ていますね」

体の向きを変えようとしたとき、腕を引っ張られた。皇帝の上に倒れてしまう。

「重いから早く布団に入ってくれ」

皇帝は機嫌が悪い。逆らうのはやめて、緋燕はおとなしく布団に入った。

「房事だの肉欲だの交接だの、よく恥ずかしげもなく口にするな」

「申し訳ございません。濡れ事、淫楽、まぐわいと言いかえればよろしいですか」

「……もういい。寝よう」

皇帝が目を閉じる気配がする。緋燕もまぶたをおろして、睡眠を手繰り寄せた。


最近、遊宵は春雨の音で目を覚ます。

「主上。豹太監がお見えになりました」

李貴人の声音は一粒のしずくが水面に落ちるように、涼やかに響く。

「また君のほうが先に起きていたのか」

「宮女は主上の御前で朝寝してはならないと、後宮の規則が定めておりますので」

「ばかげた規則だ。たまには君の寝顔を見てみたいね」

遊宵は起き上がった。牀榻から降りると、李貴人が上衣を着せかけてくれる。

（……妙なことになったたな）

湿布をして寝た翌朝、やけに寝覚めが良かった。このところ不眠がちだったが、驚くほどぐっすり眠れた。湿布のせいだろうと思い、翌日も李貴人に湿布を作らせようとした。

『お痛みがないなら、湿布を貼るべきではありません。お体が冷えます』

李貴人は頑なに拒んだ。彼女は呆れるほど頑固だ。仕方ないので、添い寝させた。するとやはり、寝覚めが良かった。奇妙なことに、李貴人がいると良質な睡眠がとれるらしい。

そういうわけで、ここ数日、李貴人に夜伽をさせている。もっとも、彼女があけすけに言うところの〈房事〉には至っていない。李貴人は金属でできた人形みたいにひんやりとしている。身にまとう雰囲気が冷たいのだ。そのせいか、いわゆる〈肉欲〉は感じなかった。

「私の寝顔など、見苦しいだけです」

感情のうかがえない面差しは、決して絶世の美貌ではない。容姿の美しさなら、呉貴人や栄貴人のほうが上だ。けれどなぜか、李貴人には視線が吸い寄せられる。

「今日は凧揚げをしようか」

寝間を出る際、遊宵は李貴人をふり返った。李貴人はわずかにまなじりを下げる。

「水鳥閣でお待ちしております」

幾分、嬉しそうな表情は、彼女がまだ十六の少女であることを思い起こさせた。


「碧麗、主上に話しかけたら？」

緋燕が名前を呼ぶと、碧麗はびくっとした。危うく凧の糸巻きを落としそうになる。

水鳥閣で、皇帝を招いて凧揚げをしている。皇帝、碧麗、緋燕という順番で横に並んでおのおの凧を揚げているのだが、碧麗はがちがちになっていて、今にも気絶しそうだった。

「む、無理よ……。失礼なことを言って逆鱗に触れるかもしれないもの」

「主上は寛容な方よ。ささいな無礼は受け流してくださるわ」

「で、でも、何をお話しすればいいのか、分からなくて……」

「何でもいいわよ。天気のこととか、好物のこととか。あ、そうだ。主上のために歌を作ったって言ってたわよね？　そのことを話したら？　何ならここで歌ってもいいわよ」

「ここで⁉　だっ、だめよっ！　お日さまの下で歌えるような歌詞じゃないの！」

「そんなに卑猥な歌詞なの？」

「ひ、卑猥⁉　緋燕ったら、主上の御前で何てこと……あっ」

風に凧を引っ張られ、碧麗はよろめいた。

皇帝は自分の凧を刀太監に持たせて、碧麗の肩を支えた。

「大丈夫かい、念貴人」

「は、はい、大丈夫です、主上」

碧麗は桃の花よりも赤くなっていた。

「ぜひ君が作った歌を聴かせてほしいな。卑猥な歌詞でもかまわないから」

「ち、違います！　そういう歌詞じゃありません！」

皇帝がからかうように言うと、碧麗はぶんぶんと首を横に振った。

（お似合いの二人よね）

緋燕はひそかに微笑んだ。皇帝を水鳥閣に招いたのは、碧麗と引き合わせるためだ。皇帝が碧麗の恋心にこたえてくれるようになればいいと思う。

歌を披露するため、碧麗は芳樹閣に楽譜を取りにいった。緋燕は皇帝と水鳥閣の内院に残ることにする。碧麗がいなくなると、二人とも無言で凧揚げに集中した。

「……君は念貴人とはおしゃべりするのに、余とは話したがらないね」

「話すことがありませんから」

「じゃあ、余が題目を決めるからそれについて話しなさい。まずは〈凧〉だ」

「凧といえば、数日前から実験を始めました。風に乗っている凧の糸を切ったら、どれくらいの距離を飛ぶのか。より遠くまで飛ばすには、どのような形状の凧にしたらよいか、糸目の位置はどこがよいか、どれくらいの高さにのぼったときに糸を切ればよいか、もちろん風向きや風の強さ、天候等も考慮に入れて実験し、記録をとっています」

「凧で届け物でもする気かい」

「それができたら便利ですね。陸路より早く届くでしょうし。また火薬を取りつければ、兵器としても使えます。凧は古くから戦場で通信や測量の道具として利用されていますが、強力な毒火薬を装着して兵器にすれば敵陣に近づかずに攻撃できます。問題はどのように――」

皇帝にとっては退屈な話題だろうか。

「主上は凧を見て何をお思いになりますか」

「そうだな……凧が哀れだと思うよ」

李花が舞い散る風には、龍涎香の匂いが混じっている。

「どれほど高みにのぼっても、彼はしょせん、地上に糸でつながれている身だ」

「凧は鳥ではありませんから。糸を切って地面から解き放っても、早晩、落下します」

「落ちてもいいんじゃないかな。たとえ一瞬でも、自由に大空を舞うことができるなら」

「ずいぶん刹那的なことをおっしゃるんですね」

「刹那的というほど詩的な人間じゃないよ。単にうらやましいと思ったんだ。わずかなひとときであろうと心の赴くままに生きることは、至尊の位よりも価値があるんじゃないかと」

皇帝は何でも持っている。絢爛豪華な宮殿、かしずく臣下たち、有り余る宝物、美姫を集めた後宮……誰もが夢見る帝王の座にありながら、彼の横顔は憂いで陰っている。

「主上の願い事は何ですか」

緋燕は鳥を模した凧が日輪と重なるよう、凧糸を操った。

「凧と日影が重なるとき願い事を唱えると叶うそうです。私が主上の願い事を唱えて差し上げますので、差し支えなければ教えてください」

「願い事か。うろたえる君を見てみたいな」

皇帝は緋燕の結い髪にくっついていた花びらを払ってくれた。

「いつも冷静沈着な君があたふたしているところを見たい」

「そういうくだらない願い事ではなく、ちゃんとした願い事を教えてください」

「余の願い事を〈くだらない〉の一言で片づけるのは、君くらいのものだよ」

蝙蝠を模した皇帝の爪が日影と重なった。

「君が余の寵愛を請うようになることを願おうか」

「それもくだらない願い事です。私よりも寵妃にふさわしい方がおそばにいるのに」

鋭敏な皇帝が碧麗の好意に気づかないはずはない。けれど皇帝は、何も言わなかった。

やがて戻ってきた碧麗が歌を披露した。決して卑猥な歌詞ではなかった。が、皇帝の美しさを称える歌詞は、別の意味で空恥ずかしく、緋燕は足の裏がむずむずするのを我慢した。

「少しやすむわ。夕餉の時間になったら起こして」

皇帝と碧麗が帰った後、緋燕は臥室に直行した。眠くて眠くてしょうがない。

「お疲れを癒してくださいね。きっと今夜も主上のお召しがあるでしょうから」

牀榻に横たわると、朱虹が布団をかけてくれる。

「主上のお召しを断る方法、ないかな……」

「なんてことをおっしゃるんですか。主上のご寵愛はすべての宮女の夢ですのに」

「だって疲れるのよ。龍床ではいっときも眠れないんだもの」

毎夜、すやすやと寝入る皇帝が恨めしい。緋燕は緊張して寸刻も眠れないのに。

「ふふふ、主上は李貴人さまに夢中なんですね。喜ばしいことだわ」

朱虹に勘違いされてしまったが、訂正するのも面倒くさいので放っておいた。

「ねえ、朱虹って宦官と結婚してるのよね？　宦官はどうやって房事をするの？」

「えっ……。ええと、だ、だいたい同じですよ。殿方の場合と」

「同じじゃないでしょう？　殿方とは、体のつくりが違うんだから」

「……は、早くおやすみくださいませ。私は外に控えておりますので」

少女のように頬を赤らめ、朱虹は牀榻の帳を閉めようとする。

「朱虹はご夫君のことが好き？」

「もちろん大好きですよ！　十二年間、片想いしてやっと恋が叶ったんですもの」

「朱虹が惚れこむ方なら素敵な人なんでしょう。会ってみたいわ。今度、紹介して」

「あら、夫はすでに李貴人さまにお目にかかっていますよ」

誰のこと？　と緋燕はつぶやくように尋ねる。朱虹の返答を聞く前に意識が途切れた。


先帝・光順帝は譲位して錦河宮に住まいを移した。錦河宮は祖父である無上皇が暮らす灯影宮の差し向かいにある。遊宵は祖父と祖母のご機嫌伺いをした後、錦河宮を訪ねた。

「父上、母上。遊宵が拝謁いたします」

礼儀通りに跪いて拝礼しようとすると、父に止められた。

「堅苦しい挨拶はいいから、座りなさい。ほら、おまえが好きな棗の蒸し菓子もあるぞ」

「圭鷹さま、遊宵が好きなのは蓮の実餡の焼き菓子ですよ」

「ん？　そうだったかな」

「棗の蒸し菓子が好きなのは圭鷹さまでしょう」

「確かに私は棗の蒸し菓子が好きだが、君のほうがもっと好きだよ、鈴霞」

「もう圭鷹さまったら……。遊宵が困ってるじゃないですか」

父に手を握られると、母・栄太后は十五、六の小娘のように恥ずかしがる。

互いに五十路をすぎているというのに、今もなお蜜月真っ最中だ。

「相変わらず仲睦まじくていらっしゃるようで、何よりです」

「仲睦まじいと言えば、おまえ、李貴人を寵愛しているそうじゃないか」

父は棗の蒸し菓子を頬張った。父が口にする食べ物はほとんど母の手作りだ。

「花嫁を全員貴人にするというから仰天したが、それなりにうまくいっているようだな」

遊宵は生返事をして、蓮の実餡の焼き菓子を食べた。

表向き、崇成帝は李貴人を寵愛していることになっている。

（当分の間は、これでごまかせるだろう）

婚礼初夜から進御させなかったので、父や母には再三、催促された。朝廷では呉家と栄家の官吏たちが「御心にかなう貴人はおりませんか」としつこく尋ねてきてうっとうしかった。

李貴人に夜伽させたことで、彼らの問いには一応の答えを出したわけだ。

「念貴人とも親しくしているんですってね」

母が茶筅で白茶を点ててくれた。黒い茶碗を仙界の雲のような白い茶が満たす。

（李貴人は俺に念貴人を薦めようとしている）

昨日は李貴人を後宮内の陶磁窯に連れていったが、なぜか念貴人もついてきた。凧揚げのときもそうだったが、李貴人はどうやら念貴人に寵愛を受けさせようとしているようだ。

念貴人が遊宵に好意を抱いているのは明らかだから、友人の恋を叶えてやろうとしているのかもしれない。宮女同士がいがみ合わず、互いに譲り合うのは結構なことだ。すべての宮女が李貴人と念貴人のように友情で結ばれていれば、後宮は平和になるだろう。

しかし、李貴人のそっけない態度がどうも癇に障る。

（他人に譲りたくなるほど、俺のことが嫌いなのか）

彼女は言葉遣いこそ丁寧だが、無礼なことをぬけぬけと言うし、遊宵を慕っている気配も一切見せない。何しろ、寵愛とからくりの本を天秤にかけたら後者に傾くらしいので、無理からぬことかもしれないが……なんとなくもやもやする。

「進御させて幾日か経つし、そろそろ李貴人を妃嬪に封じてもいいんじゃない？」

「そうだ。いつまでも妃嬪がいないのはよくない。六侍妾では母上や鈴霞に挨拶もできないんだ。侍寝した者から位を上げると言い渡していたのだし、頃合いだろう」

凱帝国の後宮には、皇后の下に十二人の妃と、九人の嬪がいる。

十二妃――皇貴妃、貴妃、麗妃、賢妃、荘妃、敬妃、成妃、徳妃、順妃、温妃、柔妃、寧妃。九嬪――昭儀、昭容、昭華、婉儀、婉容、婉華、明儀、明容、明華。位階ごとに定員がない六侍妾と違い、各位階一名ずつだ。十二妃と九嬪を合わせて妃嬪と呼んでいる。

妃嬪には朝の務めとして〈朝礼〉がある。皇后もしくはそれに次ぐ妃嬪の殿舎に参上し、ご機嫌伺いをしなければならない。朝礼が済むと、最上位の后妃は妃嬪を連れて皇太后に謁見する。その後、皇太后が后妃を従えて、太皇太后の宮殿に参殿する。

皇后および妃嬪は、宗室の嫁として、夫の母と祖母に孝行しなければならないので、毎朝の挨拶は欠かせない。

だが、六侍妾以下の宮女は皇帝の側女にすぎず、皇太后や太皇太后に謁見するほど身分が高くないため、毎朝、両太后の宮殿を遥拝することになっている。

(妃嬪にしてやれば、李貴人も少しは喜ぶかな)

いや、まったく喜ばないだろう。むしろ、迷惑そうな顔をしそうだ。

「笑っている場合じゃないぞ、遊宵」

いつの間にか、口元がほころんでいたらしい。

「おまえの後宮は火種の温床だ。もともと十二人の花嫁を全員貴人にすることには反対だった。家格に見合った位階を与え、平等に夜伽をさせるのが常道というもの。后妃は等しく――」

「お言葉を返すようですが、父上の後宮も火種の温床でしたよ」

玉座に君臨していた頃、父はあまたの后妃を順繰りに龍床に召した。それは父が好色だったからではなく、度が過ぎるほど生真面目だったからだ。

多くの皇帝は気分や感情で侍寝の相手をころころ変えた。後宮の美姫たちは移り気な帝王に悩まされ、いつ途絶えるとも知れない寵愛を求めて熾烈な争いを繰り広げてきた。

だからこそ、父は后妃を平等に扱おうとした。

後世の人が記録に残された夜伽の回数だけを見れば、光順帝は特別の寵妃を持たなかったように錯覚するかもしれない。しかし、事実は違う。父の愛情は栄氏のみに注がれており、他の宮女は恩情を賜っていたにすぎない。

「もとより、後宮は女人たちを分け隔てなく扱う場ではありません。もしそうなら、位階などないはずですからね。後宮は女人たちを競わせ、争わせるためにこそある。寵愛の加減で后妃を通じて朝廷を操り、政を動かし、皇帝の権力を守る。そのための道具が後宮です」

遊宵に純粋な恋心を抱く念貴人は、不幸になるだろう。後宮では、皇帝に恋をしてはいけない。どれほどひたむきな恋情を捧げようと、同じものは決して返ってこないのだから。

「そう簡単に割り切ることができるか」

「できますよ。誰も愛さなければ」

「皇太子時代の私も、おまえと同じ考えだったよ」

父は溜息をつき、愛おしそうに母の手を握った。

「だが、あるとき、私は罠にかかったんだ。おまえの母君が仕掛けた恋の罠に」

「罠を仕掛けたのは圭鷹さまでしょう。私、あなたを好きになるはずじゃなかったのに」

……両親の蜜月を邪魔しないよう、遊宵は早々に錦河宮を辞した。

「駿奇、これを水鳥閣へ届けなさい」

母が持たせてくれた蓮の実餡の焼き菓子を李貴人に届けさせた。

（李貴人が仕掛けるなら、恋の罠じゃなくて、死の罠になりそうだ）

遊宵はひとり笑いした。彼女に暗殺されることはあっても、恋をすることはないだろう。

政務を片付けていると、駿奇が戻ってきた。

「申し訳ございません、主上。李貴人さまはお菓子をお受け取りになりませんでした」

駿奇は白皙の面を青くして頭を垂れた。

「余の厚意を受けないだと？」

下賜品はありがたく拝受するべきだ。皇恩をはねつければ、厳罰に処されることもある。

「……李貴人さまは、このようにおっしゃいました」

『こちらの食盒には皇太后さまの紋章が入っていますね。栄太后さまは宮廷料理人をしのぐほどのお料理の腕前をお持ちとか。この素晴らしい出来栄えの焼き菓子は、きっと栄太后さまが手ずからお作りになったものなのでしょう』

駿奇は栄太后の菓子とは言わずに渡したのに、李貴人は一目で見抜いた。

『先ほど、刀太監はこちらを〈主上からの下賜品〉とおっしゃいました。主上は栄太后さまからいただいたお菓子を、私にくださったのだと解釈しましたが、間違っていますか？』

その通りだと駿奇が言うと、李貴人は食盒のふたを閉めた。

『では、拝受できません。栄太后さまが主上にお贈りになったお菓子です。それを一侍妾にすぎない私がちょうだいすれば、李緋燕は寵愛を笠に着て驕っていると非難されます』

李貴人は恭しく跪いて、駿奇に食盒を返した。

『どうか、主上にお伝えください。ご尊母さまより賜ったものを側女などにお与えになってはいけません。天子が不孝をなせば、万民が母より妾を敬うようになります。家内の不徳はやがて国への不忠を招き、凱の繁栄に影を落とすことになりましょう』

遊宵は上奏文を執務机に置き、椅子の背にもたれた。首を曲げて天井を見上げていると、腹の底から笑いがこみ上げてくる。

「まったく……李貴人は余を苛立たせる天才だな」

小賢しい女め、とつぶやく。その言葉さえ、軽やかに躍った。

「そうおっしゃるわりには、ご機嫌がよろしいようで」

「よろしいとも。さあ、早く政務を片付けてしまおう。これが済んだら、後宮に行く」

「水鳥閣へ、ですか」

「ここまで言われたら引き下がれないよ。母上の菓子を李貴人に与えるのが不孝だというなら、余が李貴人とともに母上の菓子を味わえばいいんだろう？」

奇妙な対抗心が芽生えた。おとなしくやりこめられて終わるものか。

「主上が御手ずからお菓子を食べさせてくだされば、李貴人さまは感激なさるかと」

駿奇は雅やかに微笑んだ。長年仕えているだけあって、主人の意をくむのがうまい。

「李貴人には毎夜、務めを強いているからね。たまにはいたわってあげよう」

遊宵が菓子を食べさせてやったら、李貴人はどれほど不愉快そうな顔をするだろうか。

想像すると、忍び笑いがもれた。


朗らかな午後、緋燕は皇帝を連れて渓谷に来ていた。

「いい眺めですねー」

緩やかな渓谷だ。苔むした岩と、青々と枝葉を茂らせた木々が形作る緩慢な川には、水晶を溶かしたような澄み切った水がさらさらと流れている。

「後宮に人の手が入っていない場所があるなんて、驚きました」

「残念ながら、人の手は入っているよ」

川辺にしゃがみこんだ緋燕の隣に皇帝が並んだ。水鏡に映るのは、天子の威光を表す漆黒の上衣下裳に身を包んだ崇成帝――ではなく、筒袖の短衣に上衣を羽織った青年だ。

今日に限って皇帝が軽装なのは、緋燕がそうするよう願い出たためである。

『河原でちょっとした実験をします。動きやすい服装で来てください』

別に皇帝に来てもらわなくてもいいのだが、そもそもこの時刻は彼が会いに来ると言い渡していた時間なので、なりゆきで皇帝を河原に伴う羽目になった。

「ここのどこに人の手が入っているんですか？」

水面に目をやると、すいすいと泳ぐ川魚が日差しを受けて銀色に光った。

「木の手入れが行き届いているってことかしら。川辺に生えている野花は植えられたもの？それとも、苔むした岩の配置？　ああ、川魚を放流してるってことですね？」

「全部だよ、李貴人。この渓谷そのものが人工物だ」

皇帝が屈みこんだ。野花を手折って、緋燕の結い髪に挿す。

「何代か前の皇帝が寵妃のために造らせたものだと聞いている。寵妃は炭焼きの娘でね、川で魚を釣っていたところ、偶然通りかかった時の皇帝に見初められたんだ」

愛妃と初めて出会った場所を、ある皇帝が再現させたのだという。

「素敵な話じゃないかい？　愛しい寵妃のために、渓谷まで造ってしまうとは」

「でも、その皇帝は最終的に寵妃を処刑したんですから、あんまり素敵とは思いません」

炭焼きの娘を寵愛した皇帝は、風流天子と呼ばれた聖楽帝だ。寵妃の名は憂妃。彼女は聖楽帝に最も愛されたが、濡れ衣を着せられて斬首された。

「君にも何か造らせようか。渓谷、山、湖、高原……何でもいい、君が欲しいものを」

「私は火の真珠をお借りしています。これ以上の恩寵は受けられません」

緋燕は大事に抱えてきた火の真珠を取り出した。

鶏卵ほどの大きさの透明な玉だ。これは異国からもたらされた特別な真珠で、太陽の光に向けてかざすと、球体から発する強い光が発火をうながす。

火について研究した書物で読んだことがあり、火の真珠という名前は知っていたが、実際に手にしたのはつい最近——皇帝が緋燕にこの玉を下賜したときだ。

『君がこれを欲しがっていると聞いてね』

皇帝は道端の石ころをくれてやるような気安さで、緋燕に火の真珠を与えた。

むろん、火の真珠はただの石ころではない。凱帝国秘蔵の宝珠である。

「貸したつもりはないんだけどね。それは君にあげたんだよ」

「いただいたつもりはありません。実験の記録をつけたら、お返しします」

頑固だねえ、と笑った皇帝に背を向け、緋燕はたき火に使えそうな枝を拾い始めた。朱虹と四欲が手伝ってくれる。緋燕は立ってこちらを見ている皇帝を一瞥した。

「主上は石を拾ってきてください。かまどを作りますので」

「李貴人さま！　主上に石拾いなんかさせちゃだめですよ！」

「かまわないよ。どれくらいの石を拾えばいいんだい？」

四欲はうろたえたが、皇帝は協力的だった。

皇帝が石を拾い始めるので、そばに控えていた刀太監以下の宦官たちも石を集めていく。

枝を適当な長さに切り、石を並べて簡単なかまどを作った。太い枝を一番下に置き、焚きつけ用のおがくずをのせて、細い枝と太い枝を積み上げる。

「それでは、点火します」

緋燕は手袋をつけた。かまどから三尺、離れる。太陽と火の真珠、かまどのおがくずが一直線に結ばれる角度に火の真珠を持つ。日影を浴びて、鶏卵型の宝珠はきらきらと輝いた。

「玉を太陽にかざすだけで、火がつくのかい」

「主上、近づかないでください。御身が光を遮っています」

皇帝がそばに寄ってきたせいで、緋燕の手元が陰になってしまった。

「君といると、聞き慣れない台詞を耳にすることが多いな。『近づかないでください』か」

「喜んでいただいているところ、申し訳ありませんが、離れてください」

「ああ、すまないね」

皇帝が離れるので、再び火の真珠が陽光にきらめいた。皇帝を始めとして、刀太監ら主上付きの宦官たち、緋燕が連れてきた水鳥閣の使用人たち、すべての視線が火の真珠に集まる。

なかなか火がつかない。退屈してきたのか、四欲は大あくびした。

「君が好きな『幻西機巧図録』を余も読んでいるよ。興味深い内容だね。人形が太鼓を打って時刻を知らせる車輪水時計や、鎖式の籠付き搬送機、遮蔽壁を持つ横臥式風車……」

「回転書架の記述をご覧になりましたか？　椅子に座ったままで、たくさんの本を同時に読めるなんて、夢のような歯車装置です。我が国には輪蔵という、水平型の回転収蔵庫がありますが、垂直式の回転書架は初めて見ました。これがあれば、翻訳作業など、複数の書物を並行して参照しなければならない仕事が楽になります。ただ残念なのは、歯車の構造が誤って書き写されているため、実用化されていないことですね。『幻西機巧図録』の原典を読みたいのですが、後宮書庫にはないみたいです。もし、外朝の書庫にあれば……あ、点火しましたね」

　おがくずに火がついた。火の真珠が集めた陽光が強い熱を生じさせ、発火させたのだ。

「興味のある話題なら、おしゃべりになるんだね」

　皇帝は笑っていた。いつものひんやりした笑い方ではなく、穏やかな微笑だ。

「主上もそんなふうに笑うことがあるんですね。性格がねじ曲がっているせいで、冷笑しかなさらないのかと思っていました」

　李貴人さま、と四欲が非難がましい目で睨んでくる。まずい発言だったらしい。

「君は言葉を飾らないな。呆れるほど率直だ」

「お世辞を申したほうがよければ、そうします」

「結構だよ。世辞は聞き飽きている」

　皇帝は愉快そうに笑った。だんだんと勢いを増していく炎を見やる。

「本当に火がついたね。火の真珠の名の通りだ」

「球の形に削った氷でも、同様のことができますよ」

「何だ、じゃあ火の真珠はいらなかったのか」

「氷は溶けてしまいますから、持ち運ぶなら、断然、火の真珠のほうがいいです」

火が頼もしくなってきた。ぱちぱちと音を立てながら、小気味よく燃える。

「さて、せっかくたき火をしているんです。川魚を釣って焼きましょう」

緋燕は釣車つきの釣竿を皇帝に手渡した。

「釣車の使い方はご存じですね？　釣り糸は通しておきましたので、このままお使いください」

「いやに手馴れているね」

「入宮する前は、よく近所の川に出かけて夕飯を釣って帰ったものです」

「李家は娘に魚を釣らせなければならないほど、困窮していたかな」

「困窮していませんが、私は居候でしたので、食費を浮かせるために釣りをしていたんです」

父母亡き後、緋燕は叔父夫婦の家に引き取られた。叔父夫婦は無愛嬌な姪を大歓迎してくれたわけではないが、住む場所と衣服と食事は与えてくれた。

部屋は邸内で一番日当たりの悪いところだったし、衣服は従姉のおさがりだったし、家族の食卓には同席させてもらえなかったけれど、決して恨みはしなかった。

「ところで、主上。練り餌と生餌、どちらにします？」

緋燕は二つの合子を開けてみせた。片方はぬかなどを練って作った団子状の練り餌、もう片方は生餌として蛾の幼虫がびっしり入っている。

「余が魚なら、こちらに食いつくだろうね」

何のためらいもなく、長く美しい指で蛾の幼虫をつかむ。

「見直しました。虫に触れるんですね、主上」

「そんなことで見直してもらえるのか。だったら、もっと頻繁に触ろうかな」

「主上が昆虫の研究をなさるなら、お手伝いします」

互いに釣り糸を垂らす。丸々と太った蛾の幼虫が効いたのか、面白いように釣れた。

（碧麗も来られればよかったのにね）

当初の予定では碧麗も一緒に来るはずだった。しかし、今朝方、彼女は階段で足を踏み外して捻挫してしまったので、大事をとって、安静にしている。

「主上はおかわいそうですね」

焼き立ての川魚を頬張りつつ、緋燕は皇帝を見やった。

「釣った魚は焼きたてにかぶりつくのが最高なのに」

皇帝は毒味なしでは食べられない。毒味役の宦官が半分ほど食べて異変がないことを確かめてから、やっと食べられる。皇帝の口に入るときには、すっかり冷めてしまっている。

「君だって、本当は毒味をさせてから食べるべきなんだよ」

「この魚を釣ったのも、腸をとったのも、串をさして焼いたのも、私なのに？」

「それでも用心するべきだ。君は曲がりなりにも寵姫なんだからね」

　皇帝は冷めた焼き魚を存外おいしそうに食べている。

「その寵姫というの、やめさせていただけませんか？　先日のようなことも迷惑なので……」

　先日、皇帝が喜々として訪ねてきて、丁重に返したはずの栄太后の菓子を緋燕に食べさせようとした。それも御手ずからである。ひな鳥じゃないんだからと断ったのだが、

『余が君に食べさせるか、君が余に食べさせるか、二つに一つだよ』

　謎の二者択一を迫られた。

「最近、君にいやがらせをすることに喜びを見出していてね」

　皇帝は刀太監が淹れた茶を飲んだ。

「君がいやそうな顔をすればするほど、胸が躍るんだよ。もしかして、これは恋かな」

「性格が悪いだけです」

　ふいに、近くの草むらがガサガサと音を立てた。

「おや、小さな闖入者が」

　草むらから出てきた三毛猫に、真っ先に反応したのは刀太監だった。猫好きなのだろうか、高級宦官らしい凜とした表情がふにゃりと緩む。

「主上、あの猫は空腹のようです。魚を分けてやってもよろしいでしょうか」

「いいよ。食べさせてあげなさい」

皇帝が許可すると、刀太監は川魚を持っていそいそと猫のところに行った。どうやら、母猫だったらしい。草むらに隠れていた五、六匹の子猫たちがわらわらと出てきた。

「駿奇は無類の猫好きでね、自邸にも猫をたくさん飼っているんだよ」

刀太監は子猫たちににゃあにゃあとまとわりつかれ、嬉しそうにまなじりを下げている。

「邸の使用人たちも、主人の世話より、猫たちの世話で……李貴人？　どうした？」

緋燕はかたかたと震える手で胸をおさえた。心音が速く、呼吸が荒い。

「……ちょっと手を洗ってきます」

逃げるようにたき火から離れた。頭の奥に隠してきた記憶が脈打つ。兄が必死にもがく音、兄の体が石段を転げ落ちる音、殺人者の声。そして、草むらから出てきた猫の鳴き声。

「李貴人、大丈夫かい。まさか、川魚に毒が盛られていたんじゃないだろうね」

追いかけてきた皇帝がそばに寄ろうとした。緋燕は反射的に後ずさる。

「毒じゃありません。大丈夫です。すぐに戻りますから」

足元の草むらがざわめいた。きらりと光った目。鋭い鳴き声。のっそりと顔を出した黒猫。

意識が遠のく。最後に聞こえたのは、自分を呼ぶ皇帝の声音だった。

――十年前、兄は口封じのために殺された。

兄は母の仇を役所に訴えた。しかし、相手にされなかった。母の仇は高位の宦官だったから、悪事を握りつぶすのにたけていたのだろう。

そんなとき、皇太子（現在の崇成帝・高遊宵）が近くの道観に行啓するという噂を聞いた。兄は皇太子に直談判しようとした。皇宮に参内するのは不可能だが、皇太子の行列に近づいて訴えれば、聞き届けてもらえるかもしれない。

そんな大それた考えが兄を無惨に殺めたのだ。

緋燕が最後に見たのは、兄が男と口論している姿だった。兄が一方的に嚙みついていたといってもいい。男は兄に金子を渡し、皇太子に直談判しないよう、説得しようとしていた。

『金なんかいらない！　俺は、母上の仇に罰を受けさせてやりたいんだ！』

兄は金子を突き返し、男に首を絞められ、石段から突き落とされた。

すぐに助けに行くべきだったのに、茂みの陰で一部始終を見ていた緋燕はそうしなかった。膝が笑って動けなかった。緋燕は七つの少女で、殺人者は大柄な男だった。恐怖のあまり、緋燕はしゃがみこんだ。茂みが騒ぎ、殺人者がこちらに近づいてきた。もし悲鳴を上げていたら、殺されていたに違いない。

『何だ、猫か』

草むらから飛び出した黒猫を見て、殺人者はにっこりした。手馴れた様子で黒猫を呼び寄せ、優しく撫でた。つい先刻、兄を縊り殺した——その手で。

目を開けると、夕日の色が視界を満たした。見慣れた臥室の牀榻に横たわっている。

起き上がろうとしたとき、牀榻の端に皇帝がいることに気づいた。

「……なぜ主上がここに？」

「目の前で倒れたから心配でついていたんだよ。具合はどうだい」

皇帝は読んでいた上奏文を机に置いた。起き上がろうとする緋燕を手伝ってくれる。

「気分爽快ですので、ご心配なく」

「青い顔をしてよく言うよ。太医に診せたら、何かに対する拒絶反応が失神を引き起こしたと言っていたけど、余のせいじゃないだろうね？」

「主上ではなく、猫のせいです。私……猫が苦手なので」

記憶の中で猫の目が不気味にきらめき、緋燕は布団を握りしめた。

（……正直に答えるなんて、ばかみたい）

皇帝は緋燕に嫌がらせするのが楽しいと言っていた。緋燕の弱点が猫だと知れば、水鳥閣を猫だらけにしてしまいかねない。うなだれていると、震える拳がぬくもりに包まれた。

「気絶するほど苦手なら、今後は君の視界に猫が入らないよう、配慮するよ」

皇帝は緋燕を安心させるように微笑んだ。初めて仙嘉殿に召された夜には冷たいと思った天子の手。今はひどくあたたかくて、頼もしい。

「意外です。主上なら、いやがらせで水鳥閣を猫だらけになさるかと」

「君の不愉快そうな顔を見るのは好きだが、青い顔を見るのは好きじゃないんだよ」

皇帝は朱虹が持ってきた薬湯を受け取った。手ずから匙（さじ）を握る。

「さあ、いやがらせをしてやろう。苦い苦い薬湯だ」

「……自分で飲みます」

「だめだよ。余の楽しみを奪うことは許さない」

緋燕は屈服した。もとより体がだるくて、匙を持つのも億劫（おっくう）だった。

「太医によれば、君は疲労がたまっているらしいが、疲れるようなことをしているのかい」

「してますよ。毎晩毎晩、進御（しんぎょ）しているじゃないですか。主上はすやすやおやすみになっていますけど、私は一睡もできません」

「一睡もできない？　なぜ？」

「殿方（とのがた）の隣で、熟睡できるわけないでしょう。緊張しすぎて眠気が吹き飛んでしまうんです」

「驚いたな。男の隣で緊張して眠れないなんて、意外に繊細なところがあるんだね」

皇帝は気分を害したふうもなく、目を丸くしていた。

「てっきり余と一緒に熟睡しているものと思っていたよ。君は神経が図太そうだから」

「そこまで図太くはありません。主上のおそばにいれば、緊張するし、疲れます」

「今も、余は君に緊張を強（し）いているのかな？」

「早く帰ってくだされぱいいのにと思っています」

「すまなかったね。気が回らなくて」

くすくすと笑い、皇帝は緋燕の小さな拳からすっと手を引いた。

「今夜は侍寝しなくていいよ。ひとりでゆっくりおやすみ」

「では、どなたをお召しになるのでしょうか……?」

「誰も召さないよ。君が侍寝しないなら、余もひとり寝だ」

「差し出がましいとは存じますが、念貴人をお召しになってくださいませんか。念貴人は主上をお慕いしています。心から主上にお仕えするでしょう」

誰に進御させるかは、皇帝が決めること。周囲が口を出せば越権行為にあたるし、ましてや一侍妾にすぎない緋燕が進言すれば、それだけで処罰の対象となりうる。

ただ緋燕には勝算があった。皇帝はささいな罪で宮女を罰したりしないという確信が。

「君も知っているだろうが、後宮は呉貴人を要する呉家派と、栄貴人を要する栄家派に分かれて対立している。同じことが朝廷でも起きていてね」

皇帝は牀榻の柱にもたれて、まぶたをおろした。

「余が呉貴人を寵愛するか、栄貴人を寵愛するか、注目が集まっていた。前者なら呉家出身の官吏たちが勢力を増すし、後者なら栄家出身の官吏たちが朝廷で幅をきかせる」

「呉家と栄家は、朝廷を二分する勢力だと聞いています」

「どちらも有力な外戚だ。呉家は祖母上の実家だし、栄家は母上の実家だからね。決して、ないがしろにはできないが、優遇すれば増長する。正直言って、現在の段階でも両家は力を持ちすぎているよ。息苦しいほどだ。いずれかの支持なしに、余は何もできない」

　窓から差しこむ夕日が端整な横顔に陰を刻んでいる。

「呉貴人か、栄貴人が懐妊したら、生まれたのが皇子だったなら、どうなると思う？　誓ってもいい。朝廷はどちらかの一族の支配下になり、余は彼らの傀儡になるだろう」

「……呉貴人と栄貴人に、平等に皇子が生まれれば」

「両家の令嬢に、同時期に、同じ資質の皇子が生まれれば、もしくは、どちらとも公主なら均衡がとれる。ただし、運任せだ。生まれた皇子がひとりなら、朝廷の天秤はそちらに傾く」

　たとえ、運よく似た皇子が生まれても、皇帝の権力は両家に脅かされ続ける。

「本音を言えば、呉貴人にも栄貴人にも、指一本触れたくない。だが、皇帝は誰かを寵愛しなければならない。世継ぎをもうけるために、あるいは朝廷を操るために。だから君を最初の寵姫にしたんだよ。君はいずれの派閥にも属していない上、実家の李家は毒にも薬にもならない家柄だ。彼らを味方にしても利益がない代わりに、彼らの顔色をうかがう必要もない」

　まぶたを閉じたまま、皇帝は苦笑した。

「言い方があけすけだったかな。傷つけていないといいけどね」

「率直に話してくださったことに感謝します。自分が寵姫扱いされるのが謎でしたので」

胸がすっとするのを感じた。算術の問題が解けたみたいに。

「でも、どうして念貴人ではないんですか？　念家と李家の家格は同等ですが」

「余が欲しいのは、道具としての寵姫だ。当面の朝政を乗り切るために、余にとって都合のいい、いつでも切り捨てられる相手なんだよ。念貴人は純粋すぎる。かりそめの寵愛を与えたら、彼女はそれを本物と錯覚してしまう。甘い夢から覚めた後に残るのは、虚しさだけだ」

皇帝が碧麗のことを気遣ってくれている。そのことが嬉しくもあり、切なくもあった。

彼は宮女たちを自由に愛することができない。自身の愛情すら、朝廷を操る道具にしなければならない。それが君王の宿命だとしても、やるせなさが疼く。

「今夜も進御します」

「余のそばでは眠れないんだろう？」

「とりあえず、不眠に効く薬を調合してみます。あと、眠気を催す香……はだめですね。主上にも効いてしまうし。疲れるまで体操をするという手もありますし、それか――」

皇帝が立ち上がった。緋燕の頭に掌をぽんとのせる。

「君には休養が必要だ。今夜はゆっくりやすみなさい」

「でも……あ！　そうだわ！」

緋燕は皇帝を押しのけて牀榻から飛び出した。工房に駆けこみ、急いで戻ってくる。

「思ったより元気そうだね。その調子なら、今夜も進御ができるんじゃないかい」

「いえ、私は憔悴していますので、こちらを代わりにお持ちください」

緋燕は持ってきた桐箱から、からくり人形を取り出した。それは美しい仙女の人形で、台座の上で琴を奏でようとしている。

「『幻西機巧図録』に載っていたからくり人形を、凱風にして作ってみました。台座のねじを回してぜんまいを巻くと、仙女が琴を奏でます」

ねじを回してぱっと手を離す。すると、白魚のような仙女の指が動き、琴の弦を爪弾く。

「といっても、琴を奏でているふりをしているだけですが。音は台座の下に隠してある金属板から出ています。いかがですか、この音色。心が安らぐでしょう？」

「……心が安らぐ？　どちらかといえば不気味だよ。背筋がぞくぞくするような曲調だ」

皇帝は怪訝そうな顔つきで、ぜんまい仕掛けの仙女を観察している。

「ぞくぞく？　おかしいですね。これは恋の歌ですよ」

初恋に浮かれる少女の心情を歌った素朴な曲だ。いうまでもなく、明るい曲調である。

「呪いの歌かと思ったよ。心なしか、人形の顔も薄気味悪いし……」

「そうおっしゃるなら、こちらは差し上げません」

緋燕はむっとした。試行錯誤して作ったからくりだ。不気味と言われたら腹が立つ。

「いらないとは言ってないよ。せっかくだから、いただこう」

「気を遣っていただかなくて結構です」

「いや、ちょうど欲しいと思ってたんだよ。こういう不気味な……変わったものが」

「不気味なものをおそばに置くわけにはまいりません」

「珍しいと言いたかったんだ。このおぞましい……個性的な音楽も興味深い」

「無理やり褒めなくていいです。かえって腹が立ちますから」

緋燕はむくれて、人形を見下ろした。からくり仙女はおっとりとした動作で琴を奏でている。美しい音色だと思うから、皇帝に献上しようとしたのに、まったく不愉快だ。

「可愛いな」

とってつけたような賛辞ではなかった。声音に真情が感じられる。

「そうでしょう？　小さな仙女が一生懸命に琴を奏でているのが可愛らしいですよね。琴の代わりに琵琶を持たせることもできます。曲は同じですけど。できれば、表情を変えたいんですよ。曲が盛り上がるところに来ると笑うとか。それから、もっと——」

「人形も可愛らしいが、君も可愛いね、李貴人」

顔を上げると、皇帝が微笑んでいた。

「私は美貌ではありません。美しさを数値化したなら、主上の足元にも及ばぬかと」

「美しさを表すのは数字じゃない。感情だよ」

皇帝は緋燕の髪をそっと撫でた。ひどく優しく。まるで本物の寵姫にするかのように。

「君は可憐だ。余はそう思う」

妙な感じがした。ほんの少しだけ、心音が乱れたような。

皇帝がからくり仙女を持って退室した後、緋燕はぬぼーっと突っ立っていた。

「李貴人さま？　いかがなさいました？」

「頭がぼうっとする。熱っぽいし、川風に吹かれてたせいかな」

「まあ、大変。牀榻へお戻りくださいませ。お体を冷やしてはいけません」

朱虹に支えられて臥室に戻る。あたたかい布団にもぐりこんだが、全然眠れなかった。


緋燕が原因不明の病から快復した日、水鳥閣は宮正司によって封鎖された。

「本日より、水鳥閣を封じます。李貴人はいうまでもなく、使用人も外出できません」

厳しい声音で言い渡したのは、宮正司の旅司正だった。

宮正司は皇帝直属の官府だ。後宮内の糾察及び禁令、懲罰をつかさどる。いわば後宮内の警吏なので、後宮警吏と呼ばれることが多い。上層部の官職は宦官で占められており、長官を宮正、次官を司正という。前者は太監、後者は内監と呼ばれる高級宦官である。

「はあ？　なんで水鳥閣が封鎖されなきゃならないんだよ!?」

四欲がガラの悪い態度で旅司正に嚙みついた。

「李貴人の衣装櫃から、ある姿絵が見つかった。これは主上の書房に飾ってあったものだ」

「まさか、李貴人がそれを盗んだっていうんじゃないだろうな」

「その疑いがある。しかも、姿絵は切り刻まれていた。主上は大変お怒りになっている。よって水鳥閣は封鎖、李貴人には禁足を命じられた。これは勅令である」

旅司正がいかめしい顔で勅書を読み上げた。武人のような体躯をしているせいか、険しい声で読み上げられる勅令は、軍令のごとき厳格な響きで緋燕の耳に届いた。

「盗まれた姿絵とは、主上がよくご覧になっていたものですか」

緋燕が尋ねると、旅司正はうなずいた。

「主上の異母姉であらせられる純禎公主さまの姿絵です。昨日盗まれ、後宮に持ちこまれたものと思われます。主上が今朝方お気づきになり、捜索をお命じになりました」

「宮正司が水鳥閣を調べていらっしゃったなんて、存じませんでした」

「証拠品の隠滅を防ぐため、我々は秘密裏に動くことがあります」

「おいおい水臭いじゃねえか、石鼠。こそこそ家探しする前に、俺に言えよ」

四欲がなれなれしく旅司正の肩に腕を回した。

「なぜおまえにお伺いを立てなければならないんだ？」

「そりゃ前世からの大親友だからな。ってか、主上がお怒りになってるって話だけどさ、厳罰とか下らないよな？　李貴人はともかく、俺まで巻き添え食らわないよな？」

「李貴人が罰せられれば、当然おまえも罰を食らう。ところで、気色悪いから離れてくれ」

「待て待て待て！　俺は関係ないから！　罰は李貴人が受けるから！　俺は勘弁して！」

「ちょっと因少監！　あなたまで李貴人さまが姿絵を盗んだって言うんですか！」

今度は朱虹が四欲に噛みつく。

「李貴人さまは昨日まで臥せっていらっしゃったんですよ⁉　後宮から一歩も出ていないどこ
ろか、水鳥閣からも出ていらっしゃらないのに、どうやって姿絵を盗むんですか⁉」

「高貴な人々には、使用人という手足がある」

うっとうしそうに四欲の腕を振り払い、旅司正が答えた。

「李貴人にお尋ねします。あなたは何者かに命じて純禎公主さまの姿絵を盗ませましたか」

「いいえ」

「盗ませていないのに、なぜあなたの衣装櫃から証拠品が見つかったのですか」

「存じません」

「そうですか。現段階での尋問は以上です。のちほど、詳しい取り調べを行います」

「詳しい取り調べとは、音に聞く後宮警吏の拷問でしょうか？」

後宮警吏は拷問によって自白を強要することがままある、と聞いている。

「必要があれば、いかなる手段も用います。それが我々の仕事ですので」

「石鼠はねぇ、見合いの釣書に『趣味は拷問器具の手入れ』って書くようなやつなんですよ」

水鳥閣の門が外側から封鎖される音を聞き、四欲は呆然と立ち尽くした。

「夕刻には嬉々としてご自慢の仕事道具を持ってきますよ。どうするんですか」

「後宮警吏の拷問って、噂に聞くほどひどいの？」

「俺のときは一月、床から起き上がれませんでしたね。石鼠のやつ、手加減しねえから」

「私は十日ほど寝込んでいました。あと少し拷問期間が長かったら骨が折れてたかも」

「朱虹も拷問を受けたことがあるのね」

「濡れ衣だったんですけどね。でも、悪いことばかりじゃなくて。傷ついてぼろぼろになった私を誉懐さまが看病してくれたんです。あ、誉懐さまって、私の旦那さまのことです。彼の優しさに触れて、惚れ直しました。実は求婚したのは私です。敬事房勤めの従姉が上級宦官と結婚したんですけど、そのとき宦官も妻帯できるってことを知って、私も」

「惚気てる場合かよ！　このままじゃ、俺たち全員、拷問具の餌食だぞ！」

四欲が突っこんでくれなければ、朱虹はえんえん惚気話をしていただろう。

「とりあえず、証拠品が見つかったっていう衣装櫃を見てみるわ」


「これって、姿絵の切れ端かしら」

衣装櫃を調べていると、緋燕は見覚えのない紙切れを見つけた。掛け軸に使われていたと思われる厚手の紙だ。切り口は鋏によるもの。描かれているのは、女人の袖だった。

「後宮警吏が回収し損ねたんですね。衣装に挟まっていたから」

姿絵の切れ端は、櫃の中の衣装を取り出して広げたときにひらりと出てきた。

「絵具にしては、他の部分より盛り上がっているわね……」

緋燕は姿絵の切れ端をまじまじと眺めた。鳳凰文様の袖口に、きらきら光る部分がある。絵そのものの色彩というより、あとから塗り重ねたみたいだ。そこだけ盛り上がっている。

「金色の顔料みたいね。この匂い……霊猫香？」

ねっとりとした甘い香り。好む人も多いが、緋燕は苦手だ。

爪化粧の道具を持ってくるよう、朱虹に命じた。

「霊猫香が入っているのは金粉用の爪脂だったわね。どういうふうに爪を金色にするの？」

「まず、霊猫香入りの爪脂を塗ります。次に薄く糊を重ねて、金粉をふりかけるんです。糊の臭いをごまかすために、下地になる爪脂には霊猫香が入っているんですよ」

盛り上がった部分に、焼いた針を押し当ててみる。たちまち溶けてやわらかくなった。

「まあ、じゃあこれは爪化粧？　でも、なんで純禎公主さまの姿絵に……？」

「簡単なことよ。爪化粧をしていた誰かがこの絵に触れたの。糊が完全に乾く前だったから、爪化粧が姿絵に移ってしまったのよ。金色の爪をしていたのは、誰だった？」

「えーと、呉貴人と折貴人と、蘇貴人です」

「そういえば、念貴人も昨日は爪が金色だったなあ」

長椅子にふんぞり返って煙管をくわえた四欲が、気だるそうに紫煙を吐いた。

「昨日、見舞いにいらっしゃったじゃないですか。李貴人さまは病をうつすといけないからって面会なさらなかったけど。見舞い品を受け取るとき、俺、念貴人の手を見たんですよ」

「……偶然よ。碧麗じゃないわ」

何者かが皇帝の書房から純禎公主の姿絵を盗み、切り刻んで緋燕の衣装櫃に隠した。

犯人の目的は、緋燕に濡れ衣を着せることだ。皇帝が大事にしている姿絵を盗んで切り刻んだとなれば、緋燕は唯一の寵姫でいられなくなる。犯人はそう考えたに違いない。

そして、彼女は金の爪化粧をした手で姿絵に触れた。まだ糊が乾いていない指先で。

「これは貴重な証拠品だわ。急いで旅司正に届けないと」

「待ってください。後宮警吏が公正に調べてくれるとは限りませんよ。石鼠なら賄賂が効かないからちゃんと捜査してくれるけど、他のやつだったらどうなるか」

「犯人が手を回しているかもしれない、と言いたいのね」

その可能性は大いにある。証拠品を旅司正に届けるまでに何人の宦官がかかわるか。彼らに犯人の息がかかっていないとは言い切れない以上、うかつに証拠品を手放せない。

ふと、後宮内の道観・玉梅観の鐘の音が聞こえてきた。回数は供養を表す九回。

「だったら、主上に直接届けましょうか」

「どうやって外朝まで持っていくんですか。俺らみんな禁足を食らってるってのに」

「外朝まで行く必要はないわ。主上は後宮にいらっしゃるもの」

緋燕は書房から地図を持ってきた。空いた時間に作っておいた、水鳥閣近辺の地図だ。

「玉梅観では供養の祈禱が行われている。誰のための供養か、分かる？」

「今日は誰の忌日だったかな？　恭懿温妃？　成西大長公主？　孝熙皇后？」

「純禎公主さまの供養よ」

「は？　純禎公主さまはご存命で……って、あーそういうことか」

「どういうことなんですか？　因少監」

「玉梅観で、純禎公主さまの姿絵の供養が行われてるってことだよ」

古来、姿絵には人の魂が宿るといわれている。姿絵を傷つけたり、燃やしたり、辱めたりすれば、描かれている人に凶事が起こる恐れがある。禍を避けるためには、破損した姿絵を死者のように手厚く供養しなければならない。

「主上は純禎公主さまの姿絵を頻繁にご覧になっていた。異国に嫁がれた純禎公主さまを、案じていらっしゃるということだわ。姿絵の供養に立ち会わないはずがない」

皇帝は玉梅観にいる。真犯人を指し示す証拠品は、そこに届ければいい。

「でも、水鳥閣は完璧に封鎖されてますよ。どうやって抜け出すんです？」

「封鎖されているのは陸路でしょ。空はがらあきよ」

緋燕は内院に出て、風向きを確認した。晴れ渡る空を振り仰ぎ、ふわりと微笑む。

「いい風が吹いているわね。今日は凧揚げ日和だわ」

遊宵は絹糸のような線香の煙を見ていた。

祭壇の前で玉梅観の女道士が経を読み上げている。机上に置かれた青白磁の器に入っているのは、ばらばらに切り刻まれた異母姉・鳳姫――封号は純禎公主――の姿絵だ。

(下手人が誰であろうと、厳罰に処す)

遊宵は激しい怒りを握りつぶすように拳を握りしめた。

後宮警吏の調べで李貴人の部屋から鳳姫の姿絵が見つかったが、彼女が犯人とは思えない。

『嫉妬心ゆえ、主上がいつもご覧になっている純禎公主の姿絵を切り刻んだのでは?』

旅司正の推論を、遊宵は一笑にふした。李貴人は遊宵を恋い慕っていないのに、なにゆえ嫉妬心を燃やすというのか。彼女は度が過ぎるほど愚直で、皇帝さえも恐れない果敢な女だ。不満があれば、直接、遊宵にぶつけてくる。こんな陰湿なことはしない。

李貴人は濡れ衣を着せられたのだ。おそらくは、寵愛を妬む何者かに。

しかし、証拠品が出ている以上、水鳥閣を封鎖しないわけにはいかなかった。

「主上、李貴人さまより、文が届いております」

駮奇に耳打ちされ、遊宵は片眉をはね上げた。

「禁足の命を破って届けにきたのか」

いかにも彼女のやりそうなことだが、勅命にそむいたなら、罰しなければならなくなる。

「いいえ、勅命にはそむいていらっしゃらないかと……。文は凧で届けられましたので」

「凧？　水鳥閣から飛んできたのかい？」

「そうとしか考えられません」

駿奇がおずおずと文を差し出す。遊宵は文に目を通し、李貴人を連れてくるよう命じた。

「ただし、秘密裏に。禁足の命はとかない」

ほどなくして駿奇が李貴人を連れてきた。遊宵は彼女と別室で会うことにした。李貴人は下級宦官の官服を着ていた。秘密裏にと命じたので、宦官姿で連れ出したのだろう。

「凧で文を届けたと聞いたけど、どうやったんだい」

「以前、水鳥閣で飛ばしていた凧の糸が切れて涼雲閣まで飛んでいったことがありました。水鳥閣から玉梅観までの距離は、水鳥閣から涼雲閣までの距離のおよそ三倍です。そこで涼雲閣まで飛んだものの三倍飛ぶ凧を作って飛ばしたんです」

「いつだったか、糸を切った凧がどれくらい飛ぶか実験していると話していたね。研究の成果が出たんだな。君の凧は玉梅観の内院に落ちたそうだよ」

「風向きが味方してくれました。あと少し時間がずれていれば、失敗だったでしょう」

李貴人の文には鳳姫の姿絵の一片が同封されていた。

「君の見立てによれば、真犯人は呉貴人、折貴人、蘇貴人、念貴人の誰かなんだね？」

「……金の爪化粧をしていた方はその四名です」

念貴人が犯人だとは思いたくないのか、李貴人は心苦しそうにうつむいた。

「純禎公主さまの姿絵とは知らずに、犯行に及んだのかもしれません」

「知っていても知らなくても、余の姉を呪詛したことに変わりはない」

無惨に切り刻まれた鳳姫の姿絵を見たときは愕然とした。あまりにも不吉だ。異国で暮らす姉に凶事が起きないよう、祈るしかない。

「純禎公主さまは、主上にとって、とても大事な御方なんですね」

「大事だよ。ともすれば、玉座よりも」

経を読む女道士の声音が扉の向こうから聞こえてくる。

「初めて恋しいと思った女人なんだ。姉にそんな感情を抱くのは間違いだと分かっていたけれどね。知っているかい。許されない恋は毒そのものだよ。心を蝕んで、腐らせて、息の根を止めようとする。捨てようとすればするほど、脈打ちながら毒を吐く」

なぜだろうか。李貴人には、つい本音をもらしてしまう。

「姉が異国に嫁いでもう六年だ。踏ん切りをつけて別れたはずなのに、いまだに余の心は毒の沼に沈んでいる。姿絵を眺めて、彼女に思いをはせて、いったい何になるというんだろう。無益なことだ。愚かしいことだ。我ながら嫌気がさす。なんて未練がましい男かと」

「未練がましくて何が悪いんですか」

李貴人がまっすぐに遊宵を見ていた。

「未練を断ち切れないのは、情が深い証。卑下するべきではありません。ましてや、純禎公主さまは主上にとって大切な家族でもあります。簡単に忘れられるはずがないでしょう」

「君もそうなんだろう、李貴人」

遊宵は彼女を抱き寄せた。体を寄せ合っていれば、喪失を埋められるような気がして。

「喪った家族の記憶が君の心に影を落としているね」

猫に怯えて河原で気絶した日、李貴人は悪夢にうなされていた。

『兄さま……ごめんなさい。母さま、許して……。全部、私のせいだわ……父さま』

李貴人のうわ言が気にかかり、遊宵は彼女の身上書を読み直した。一度は目を通しているはずだが、父母を亡くして叔父の邸に居候しているという点以外は覚えていなかった。

十年前、李貴人は兄を亡くしている。これは明らかな殺人だった。

兄の死から半年と経たずに母親が入水。その一年後、父親が病死。

叔父夫婦に引き取られてからも幸福とは縁遠かった。叔父夫婦は姪に住む場所を与えたが、愛情は与えなかった。姪を家族の食卓に同席させなかったことが何よりの証明だ。

「幼くして家族を亡くし、さぞかしつらかっただろう」

「……本当につらいのは私ではなく、亡くなった家族です」

遊宵の腕の中で、李貴人は体を強張らせていた。人に馴れていない猫みたいに。

「泣きたいときは我慢してはいけないよ」

「我慢なんてしていません。涙はとうに枯れました」

彼女が多くを語らないから、詳しくは尋ねなかった。複雑な事情があるのだろうが、話したくないことを無理やり聞き出して、彼女を傷つけたくない。

「もし君が家族を偲んで泣きたいときは、余を呼びなさい」

「……どうしてですか」

「余が君の夫だからだよ。側女を慰めるのは、夫の役目だ」

「私は名前だけの側女です。主上に情けをかけていただける立場ではありません」

李貴人は頑なだ。何かに怯えているみたいに、心を閉ざしている。

「だったら言い方を変えよう。夫でも、側女でもなく、家族として余を頼ればいい」

李貴人がびくっとして顔を上げた。かすかに揺れる瞳には、見慣れたふてぶてしさがない。迷子のような目だ。帰り道が分からず、不安に襲われ、懸命に涙をこらえているような。

「入宮してしまったからには、君は余以外の男と結ばれることができない。自分の新しい家族を持つことができないんだ。それは永遠に喪失を埋められないということだよ」

恋しい人と生き別れるのは、四肢を引き裂かれるようにつらい。では、愛しい人と死に別れるのはどれほどの痛みを伴うのだろうか。

「余は君だけを寵愛することはできない。だからせめて、家族になろう。夫だの側女だのという配役はいらない。互いに真情を抱いて向き合えば、家族と呼ぶことができるはずだ」

生涯の伴侶を見つけろと、叔父の呂守王が言っていた。生涯の伴侶とは、単なる閨の相手ではない。飾らず、偽らず、気負わず、本心を語ることのできる相手だ。

(李貴人が俺の伴侶なんだろうか)

今はまだ、はっきりしない。ただ、不思議な予感が胸に芽吹いていた。彼女の低い体温が、いつの日か――自分にとって唯一無二の、安らぎになるような。

「……金の爪化粧の件は、いかがなさいますか」

遊宵の提案にはこたえず、李貴人は震える睫毛を伏せた。

「例の四名に旅司正の厳しい取り調べを受けさせようかな」

「いけません。主上の評判にかかわります」

「余は波業帝の再来といわれてもかまわないが、念貴人を傷つけたら君に恨まれてしまうね」

経が終わり、女道士が編鐘を鳴らし始めた。明澄な音色が鎮魂の歌を歌う。

「けれど、毒花はしっかり刈り取るよ。毒を塗った短刀で」

二月十五日は花朝節――百花の生日である。人々は色とりどりの綾絹を花木にかけ、歌舞音曲を楽しみ、酒を酌み交わして花神を祝う。
後宮でも盛大な宴が催されるが、御宴の主役は誕生月の花神に扮した花嫁たちだ。

　李貴人を除く十一名の貴人たちがそれぞれの花神の衣装に身を包んで春陽の下に集うと、園林にもうけられた宴席は天宮の花園と化す。

「先日盗まれた姿絵には、ちょっとした仕掛けがしてあってね」

　宴もたけなわになる頃、遊宵は酒杯を傾けながら、こう切り出した。

「毒を塗っておいたんだよ。猛毒をね」

「まあ、では犯人は死んでしまいましたの？」

　薔薇花神に扮した貴人が甲高い声で言った。

「これから死ぬだろうね。あの毒は触れてから八日後に効き目が出るんだ」

　遊宵は傍らに立つ小柄な宦官の手から蜜和餅を食べた。貴人たちは敵意を燃やした目で宦官を睨んでいる。皇帝が男色を好むなら、宦官は彼女たちの恋敵となる。

「まずは軽いめまいがする。呼吸が苦しくなって、動悸がするようになるんだ。そして両目から血があふれてくる。両耳からも。動悸はますます激しくなり、血を吐くんだよ。何度も何度も、体中の血が失われるまで、たっぷりと苦しんで死ぬことになる」

「なんておぞましい毒でしょう」

　丹桂花神の衣を着た貴人が怯えたふうに肩を震わせた。

「けれど、当然の報いですわ。李貴人は主上の御物を盗んだ上、切り刻んだのですから。純禎公主さまの姿絵に鋏を入れるなんて、主上に仇なしたも同然。死をもって償うべきですわ」

「李貴人は寵愛を得て驕っていたのでしょう。慢心ゆえ、純禎公主さまよりも主上の御心を得ようと、不遜な望みを抱いたのです。傲慢が身を亡ぼすという好例ではありませんか」

桃花花神の衣装で着飾った貴人が言うと、蘭花花神に扮した貴人がうなずく。

「わたくしはみなさまと仲良くしようとしてきましたけれど、李貴人だけは好きになれませんでしたの。お茶会に誘っても来てくださらないし、挨拶をしてもそっけなくて」

「私なんて、迷迭香の香りをつけた白粉を差し上げたら、いやみを言われました。『主上は迷迭香がお好きではないのですが、ご存じないですよね』ですって」

芙蓉花神の姿をした貴人も陰口を叩く。

ここに咲いているのは毒花ばかりだ。姿かたちは美しいが、触れれば毒気にあてられる。いや、『ばかり』とはいえない。李貴人に対して悪罵を吐かない貴人もいるにはいる。

「どうした、念貴人。気分が優れないのかい」

水仙花神の仮装をした念貴人は、真っ青な顔でうつむいていた。

「……申し訳ございません、主上。昨夜から、体調を崩しているのです」

「それはいけない。太医の診察は受けたかい」

「い、いえ、これから診ていただきます」

念貴人は消え入りそうな声音で暇乞いをした。逃げるように宴席を辞す。

「さて、そろそろ〈胡蝶の媒〉を始めようか」

遊宵が目配せすると、駿奇が黄金の虫籠を持ってきた。中には一羽の黒蝶が入っている。

貴人たちは結い髪に挿頭花をつけている。放たれた黒蝶が挿頭花にとまった者は、皇帝と一夜の夢を結ぶという、花朝節にちなんだ遊びだ。〈胡蝶の媒〉がきっかけで寵姫になる者も少なくないことから、貴人たちははりきって挿頭花に名香を薫じていた。

「黒蝶よ、余に示せ。今夜の伽の相手は誰だ？」

遊宵が虫籠から黒蝶を放つと、貴人たちは童女のようにはしゃいだ。

「こちらよ、こちらに来て！　私の挿頭花にとまって！」

「蘇貴人ったら、声を荒らげて品がないわよ。黒蝶が怯えているわ」

「ごほごほ……呉貴人さまの挿頭花の香り、強すぎませんか？　むせかえるよう」

「折貴人さま、絹団扇を落としましてよ」

「あら、染貴人の挿頭花に蜂が」

「は……蜂⁉　いやあああっ……！　だ、誰かっ、追い払って！」

「しっ、静かにして。栄貴人さまの挿頭花に黒蝶がとまりそうなんだから」

黒蝶はふわふわと宙を舞い、寵愛に飢えた美姫たちを翻弄する。

「意外な結果になったな」

黒蝶が翅をやすめたのは、先刻、遊宵に蜜和餅を食べさせた小柄な宦官の帽子だった。

「じゃあ今夜は素燕を召すとしよう」

遊宵が微笑むと、素燕と呼ばれた宦官は物言いたげに面を伏せた。

「何もかも、おまえのせいよ!!」

女主人が茶杯を床に叩きつける。背鈍虚は首をすくめて這いつくばった。

「おまえが主上の書房から姿絵を盗んで李貴人に罪を着せようと言い出したんでしょう!! 姿絵に触れてから明日で八日!! 毒が回ってわらわは死ぬわ!! おまえのせいで!!」

茶壺、花瓶、象牙の置物、螺鈿の小箱……女主人は手当たりしだいに物を投げつける。

「お、お気を静めてください! 太医がじきにまいります!」

「主上は猛毒だとおっしゃっていたわ! 太医に治せるの!?」

「治せますとも! 宮中は毒殺の多いところ。太医は毒の扱いになれているはずです」

そうであってほしい。鈍虚だって死にたくはないのだ。宴席で皇帝が言っていたように、目や耳から血を流し、体が空になるまで血を吐き続ける苦しみは、宦官になるときに味わった激痛をしのぐだろうか。想像するだけで全身がわななく。

「どうぞ御心を穏やかになさいませ。取り乱されてはお体に障ります」

「これ以上、悪くなりようがないわ!! おまえのせいで、あんなおぞましい毒に……」

鈍虚を叩こうとして手をふりあげた女主人の美貌が凍りついた。

つややかな化粧の細面から、みるみるうちに血の気が引いていく。

「もしや、もう毒が……⁉　お、お待ちください、ただいま太医を呼びに……」

部屋を出ていこうとして女主人に背を向けた直後、鈍虚の呼吸が止まった。

女主人がなぜ表情を凍りつかせたか、やっと分かった。

衝立の陰から、青年が顔をのぞかせていたからだ。ひどく美しく、冷ややかな色香をまとう、後宮でただひとりの男が。

「派手に散らかしたね。高価な品もあるだろうに、豪快な暴れっぷりだ」

「しゅ、主上……！　こ、これは、私が不注意で落としたもので……」

「驚いたな。見上げた忠誠心じゃないか。頭から血を流しながら、女主人をかばうとは」

鈍虚は額から血を流していることに気づいた。女主人が投げたものがぶつかったのだ。

「これほど忠実な宦官をむざむざ刑死させるのは惜しいな。ねえ君、悪辣で暴力的な女主人を見限って、余に仕えないかい？　そうすれば、君の罪は水に流すよ？」

皇帝が手巾を差し出す。最高級の絹に刺繍された龍の爪は五本。君王の象徴である五爪の龍の意匠がほどこされた御物を賜ることは、体中の骨が歓喜に打ち震えるほどの栄誉――。

「主上‼　その者がわらわを陥れたのです‼」

女主人は憎悪を燃やした目で鈍虚を睨みつけた。

「純禎公主さまの姿絵を盗んで李貴人に罪をなすりつけようと、鈍虚が申しました。もちろん、わらわは反対しましたわ！　そんな恐ろしいことはできないと……けれど、この者がわらわに無断で純禎公主さまの姿絵を盗んできたのです。のみならず、わらわにすべての罪を着せようとしています！　忠実な宦官などではありません！　主人を陥れる下劣な奸臣です！」

「私はあなたの命令に従っただけです！　そもそも、あなたは『李貴人が憎い李貴人が憎い』と毎日おっしゃっていたではありませんか！　李貴人を排除するにはどうすればよいかとお尋ねになったから、姿絵の件を提案したのです！　それなのに、今になって――」

「ところで、君たち」

皇帝は退屈そうに扇子をもてあそんでいる。

「毒の効き目は八日後にあらわれると言ったけど、あれは嘘だよ。本当は七日後なんだ」

鈍虚は息をのんだ。女主人は喉をひねりつぶされたかのように沈黙する。

「君たちが姿絵に触れてから七日後……つまり今日だ。そろそろ効いてくる頃かな？」

最初はめまい。次に呼吸が苦しくなり、動悸がするようになる。そして目から血が……。

「君たちがどんなふうにもんどりうって死ぬか、じっくり観察するのも面白そうだけどね。まあ今回ばかりは、見逃してあげてもいい。余は慈悲深い君主だからね」

皇帝は刀太監に命じて、二つの杯を持ってこさせた。

「解毒薬だ。全身の血を吐いて死にたくなければ、飲みなさい」

真っ先に杯をつかんだのは女主人だった。寸時遅れて、鈍虚も杯をとる。慌てて飲み干した液体は、甘露のように甘く美味だった。

「皇恩に感謝いたします」

鈍虚と女主人は皇帝の足元にひれ伏した。

これで死なずに済むのだ。体を蝕む毒から解放されたのだ。

そう思うと、正気を失ったように脈打っていた心音がおとなしくなっていく。

（主上に仕えられるなら、それがいい）

李貴人が進御したと聞くたび、女主人は癇癪を起こして鈍虚にあたり散らした。

『どうしてわらわは召されないの⁉　わらわのほうが李貴人より美しいのに‼』

使用人たちの中で、女主人の私憤を一身に受けたのは鈍虚だった。毎日、口汚く罵られ、殴られ、足蹴にされた。それはひとえに、鈍虚の容貌が冴えないからであろう。

『李貴人の宦官は美しいわ！　泥虫みたいに醜いおまえと違ってね！』

これでも故郷の田舎では美少年ともてはやされたものだが、後宮に入ると、自分の容姿は三流以下だということを知った。後宮は見目麗しい宦官であふれている。雲の上で暮らす天人のような彼らと比べれば、鈍虚は地面を這いずり回る蚯蚓も同然だった。

けれど、ひとたび宦官になれば後戻りはできない。

鈍虚は内書堂に入り、優秀な成績を修めた。修業後は有力な正途（内書堂出身の上級宦官）の配下としてがむしゃらに働き、三十手前で貴人付きの主席宦官になった。

鈍虚はまめまめしく女主人に仕えた。女主人を寵姫にするため、愚痴もこぼさずに仕えてきた。憂さ晴らしに打擲されても、悪罵されて唾を吐きかけられても、黙って耐えてきた。それなのに、女主人は自分の罪をも鈍虚に押しつけて難を逃れようとしている。

『忠誠心なんざ、一物もろとも切り落としちまったよ』

内書堂の学友、因四欲が口にした言葉を思い出す。

当時は、主君である妃嬪の名を騙って借金を重ねていた因四欲の不忠ぶりを非難したものだが、今なら同意する。女主人に忠義を尽くしても無駄だ。犬のようにこき使われ、鬱憤のはけ口にされ、罪をなすりつけられて打ち捨てられる。女など、仕えるに値しない。

どうせかしずくなら、至高の御仁がいい。玉座に君臨する天子を主と呼びたいものだ。

皇帝に仕えよう。心を決めた刹那、違和感に胸を刺し貫かれた。

（……おかしい。なぜこんなにも易々と許される？）

純禎公主は皇帝の最愛の姉だった。その姿絵を盗み、無惨に切り刻み、皇帝が寵愛する李貴人の仕業に見せかけようとした。軽々しく許される罪ではない。

ましてや皇帝は何もせずとも罪人たちを断罪できた。鈍虚と女主人は今しも毒によって横死するところだったのだ。なにゆえ、わざわざ解毒薬を持ってきた？

いや、違う。あれは、本当に解毒薬だったのか……？

「まだ気づかないのかい、折貴人」

皇帝は笑っていた。滑稽な見世物を見たと言いたげに。

「姿絵に毒なんて塗っていなかった。君たちがさっき口にしたものこそが毒なんだよ」

鈍虚はとっさに喉をおさえた。蒼白になった折貴人は飲んだものを吐き出そうとする。

「もう手遅れだよ。効き目は八日後にあらわれる。どんな苦しみを味わうかは、宴席で話した通りだ。それまでに後宮警吏の取り調べを受けてもらおうかな」

皇帝が扇子を閉じると、衝立の陰から大柄な宦官が出てきた。

宮正司の次官、旅石鼠。残忍な拷問で罪人をいたぶるという、悪名高き酷吏だ。

「お、お許しくださいまし主上!!　わらわは御身が恋しくて恋しくて……」

龍衣の袖にすがりつこうとした折貴人の手を、刀太監が容赦なく打ち払った。

「玉体に触れるな、罪人め」

「下手人の供述を聞くのは後宮警吏の仕事だ。あとのことは旅司正に任せるよ」

御意、と旅司正が頭を垂れる。愕然とする鈍虚の鼻先に、龍文の手巾が差し出された。

「余に仕えたいかい、背少監」

皇帝が微笑んでいる。助けてくれるのだろうか。解毒薬をくれるのだろうか。

「仕える気があれば、これを受け取りなさい」

龍文の手巾が一縷の希望に見えた。震える両手で、鈍虚は手巾を押しいただいた。

「よろしい。では、背鈍虚に命ず。九原宮にて余を待て」

鈍虚は弾かれたように顔を上げた。皇帝は微笑んでいる。艶然と……否、冷然と。

九原宮——それは崩御した帝王が起居するといわれる冥府の宮殿。

(……因四欲、貴君は正しい)

宦官に忠誠心など無用の長物。どうせ酷使され、嘲弄され、打擲され、廃棄されるのだから。誰に仕えようと同じことだ。主人が貴人であろうと、天子であろうと、末路はひとつ。

「謹んで……拝命いたします」

磁器の破片が散らばる床にひたいをすりつけ、鈍虚は龍文の手巾を握りしめた。

宦官は天子の私物。不要になれば、がらくたとして捨てられる定めだ。


「犯人が念貴人じゃなくてよかったね、素燕」

折貴人の部屋から出てきた皇帝が中級宦官・素燕こと緋燕に微笑みかけた。

「青い顔をした念貴人が中座したときには肝が冷えたけど、早合点で安心したよ」

碧麗は宴席を辞したその足で水鳥閣に向かったと、宴の最中に旅司正が報告した。姿絵に毒が塗られていたと聞き、何よりもまず緋燕の身を心配してくれたのだ。

皇帝は宴席で毒の話を持ち出し、貴人たちの反応を見ていた。

常になく口数が少なく、気もそぞろだった折貴人を怪しみ、旅司正を伴って涼雲閣までやってきた。あとは聞き耳を立てていればよかった。毒の件で取り乱した折貴人は、己が所業を大声でわめきたてた。

「主上。あれは毒ではなく単なる水なのだと、なぜおっしゃらないのですか。このままでは毒が効くとされる八日目が来る前に、折貴人と背少監は自害なさいます」

二人は罪を犯した。処罰はまぬかれない。されど、わずかな慈悲を与えてもいいはずだ。

「それでいいんだよ」

皇帝は梨花の古木を振り仰いだ。雪片のような花びらがはらはらと舞い散る。

「まっとうに罰を下せば、折貴人は貴人の位を剝奪、一宮女に落とされ、浣衣局で苦役に従事することになる。背少監は降格され、直殿監行きだ」

浣衣局は宦官の衣服を洗濯する官府。直殿監は各殿舎の清掃を行う役所。

どちらも罪を得た宮女や宦官が罰として過酷な仕事を課せられる場だ。

「蝶よ花よと育てられてきた折氏が浣衣局の仕事に耐えられるかい？　背鈍虚は内書堂を次席で修業した正途だよ。無学の宦官が牛耳る直殿監は生き地獄だろう。屈辱を味わわせるよりは、今の身分で自害させてあげるべきだ。それが恩情では？」

「いいえ、それは恩情ではありません。主上の私情です」

緋燕は皇帝の横顔を見上げた。たおやかな春陽が冷艶な目元に影を落としている。

「お二人は屈辱に耐えられないと、主上は決めつけていらっしゃいます。傲慢な考えです」

「傲慢で結構。罪人はさっさと片付けるに限るよ。下手に生かしておくと、逆恨みされかねない。火種は芽吹く前に始末しておくものだ」

「本音が出ましたね。自害が恩情だなんて真っ赤な嘘。あなたはご自身の心の安寧のために、折貴人と背少監を自害させようとしていらっしゃるんです」

「まるでそれが罪悪であるかのような口ぶりだね」

　皇帝は冷めた瞳に緋燕を映した。頬に浮かぶのは、物憂げな微笑。

（……主上はお優しい方なの？　非情な方なの？）

　非情かと思えば優しい。親切かと思えば冷淡。さながら水銀のような人だ。ときには薬や顔料になり、ときには劇毒になる。目まぐるしく入れかわる表情に翻弄されてしまう。

「君こそ同情している場合かい？　あの二人に陥れられたのに」

　二人を恨むべきなのだろう。母の仇である宦官を憎むように。

　けれど、無理だった。どう頑張っても、憤怒や憎悪はわいてこない。

　折貴人は名門の生まれ。皇帝の寵妃になるために教育されてきたのに、入宮しても妃嬪に封じてもらえず、龍床に召されなかった。一方でたいした家柄でもなく、際立った美貌も持たない緋燕が寵愛を受ける。折貴人の焦燥はいかばかりであったか。

　背少監は日に日に嫉妬心を募らせる折貴人につらく当たられていただろう。日ごろ呉貴人の腰巾着に徹している彼女も、宦官の前ではめらめらと滾る怒りを隠さなかった。背少監は女主人の折檻から逃れたいばかりに、緋燕を陥れる計画を立てたのかもしれない。

彼らの悪意の原動力は、自身の不遇への切なる嘆きだった。緋燕はそう理解した。

（……私だって、お二人と同じだ）

母の仇に向ける怨讐は、あの事件がきっかけで家族を亡くしたことへの痛哭から生じたもの。決して他人事ではない。折貴人と背少監は、鏡に映った緋燕の姿だ。

「主上はお二人を宮女と宦官として見ていますね」

「それが事実だろう?」

「事実の一部です。主上はお忘れになっています。お二人があなたの民であることを」

皇帝が目を見開いた。

「私は主上が万民に慕われる天子であってほしいと思います」

緋燕は皇帝の手をそっとつかんだ。大きな掌に自分の掌を重ねる。

「この手があたたかいことを、たくさんの人たちに知ってほしいんです」

――夫でも、側女でもなく、家族として余を頼ればいい。

あのとき、思わず心が揺らいだ。彼のぬくもりにすがってしまいたくなった。何もかも打ち明けて、彼に頼りたくなった。こんなことは初めてだった。家族を喪って以来、誰にも頼らずに生きてきた。叔父も叔母も従姉妹も家族にはなってくれなかった。自分には頼る相手などいないのだと諦めていた。たったひとりで復讐をやりとげる覚悟だった。

後宮は嫉妬と陰謀の獄。真の愛情も友情も、存在しない場所。

誰にも心を許すつもりはなかった。胸の奥で煮え滾る怨毒だけが生きるよすがだった。

それなのに、ぐらついた。肩を抱いてくれた皇帝の手があたたかかったから。

「あなたの民に慈悲をお与えください」

緋燕は皇帝の手を握ったまま跪いた。

蒼穹を背負うようにして立つ皇帝は、まぶしいほどに輝かしく麗しい。同時に恐ろしくもある。その気になれば、彼はいくらでも冷酷になれる。命令ひとつで村や城市を焼き、幾千幾万の民を虐殺することさえできる。

そんなことは、皇帝だって百も承知だろう。彼が龍衣に身を包んでいる限り。

帝、光順帝から続く太平はなおも健在だ。けれど、安寧は永遠に続かない。天下は乱れていない。仁啓かではないか。乱世の種は、天下太平の世に芽吹いているものだ。歴史を見れば明ら
案じずにはいられない。家族になろうと言って緋燕を抱き寄せてくれた皇帝の手が、いつの日か、怨嗟の血で染まってしまわないかと。民が彼の死を願うようになりはしないかと。

「どうか恩情をお示しください、主上。龍衣にすがりつく民の手を振り払わないでください。彼らが天子に抱く希望を、一筋の光を――御自ら断ち切ってはいけません」

怖くてたまらなかった。皇帝が生来の優しさを玉座に奪われてしまうのではないかと思うと、苛政を行って国土に流血の川を造るのではないかと思うと、民の怨念で弑されるのではないか

と思うと、恐怖が喉元までせり上がってくる。

（主上はお優しい方であってほしい）

凱の民なら誰だって願うはずだ。主上が仁愛に満ちた方でありますように、と。

緋燕も切に願っている。皇帝の手がいつまでもあたたかいように。緋燕の頑なな心をほんの少しだけ和らげてくれた人が、消えてしまわないように。

「……李貴人、君という人は……」

皇帝は溜息をついた。しゃがみこんで、袖口で緋燕の目元を拭く。

「何も泣かなくてもいいじゃないか」

「泣いていましたか？　あ、本当だわ」

「自覚なしか。これは重症だな」

「私、病気なんでしょうか」

そうだよ、と皇帝は困ったように笑う。頰に手をそえて、瞳をのぞきこんできた。

「慈悲深いという病にかかっている」

「それは病名ではなく、気質です」

「似たようなものだよ。まったく、ばかげているな。他人の命乞いをして涙を流すなんて」

言葉とは裏腹に、皇帝の口調は優しい。緋燕は頰にあてがわれた皇帝の手に掌をそえた。彼の手のあたたかさを改めて感じると、体を蝕んでいた恐怖がとけていく。

「あなたは水銀のような方。ときには劇毒になるけれど、今は人を癒す薬でいらっしゃる」

「水銀だって？　そんなたとえは初めて聞いたな」

皇帝が肩を揺らして笑うと、緋燕の肩も揺れる。はらりはらりと散る梨の花びらが風と戯れていた。甘やかな春の日差しに濡れて、冕冠の玉飾りは星屑のように光を放っている。

「余は君ほど慈悲深くない」

皇帝の指先が目元をなぞる。くすぐるような仕草が胸を熱くした。

「だけど、なぜだろうな。君の手を振り払うことができないんだ」

瞬きをすると、目尻からしずくがこぼれた。安堵が肌ににじむ。大丈夫だ。彼は己を玉座に明け渡していない。緋燕のそばにとどまってくれている。

「お二人の自害を止めてくださるんですね？」

「いや、止めはしない。選択肢を与える。屈辱に耐えて処罰を受けるか、名誉を守って命を絶つか、彼ら自身に選ばせよう。余の恩情はそれが限度だ」

軽すぎる罰は秩序を乱す。重すぎる罰は禍根を残す。中正は口で言うほど容易くない。

だが、皇帝は寛大な判断を下したと思う。

人は自らの道を自らの意思で選ぶべきだ。誰かに命じられた道に進むのではなく、自分が選んだ道を踏みしめて歩くべきだ。

その先に何が待ち受けていようと、それが自身の選択であれば、立ち向かっていける。

「今夜の進御には、素燕の恰好で来なさい」

涼雲閣から出る際、皇帝が緋燕に耳打ちした。

「素燕の恰好って……これですか？」

「似合っているよ。愛らしくて素敵だ」

小さく心臓がはねた。件の奇病だろうか。帰ったら医術書を読み直そう。

「もしかして、主上は宦官と交接するのがお好きなんですか」

「好きじゃないよ。というか、そんなこと試したこともないし、したいと思ったこともない」

皇帝は力強く全否定した。

「誤解されているようだから、はっきりさせておこう。余が宦官姿の君を可愛いと言ったのは君が可愛いからだ。余に断袖（男色）の趣味はないよ」

「でしたら、私ではなく、玉人以下の侍妾をお召しください。主上は健康な若い男性です。肉欲は適度に発散しなければなりません。今宵はどなたかと交合なさいませ」

「……言いたいことは分かるけど、もっと婉曲的な表現にしてほしいね」

呆れ顔で笑い、皇帝は緋燕の左手を取った。

「今日の指輪は金かい？　それとも銀かな？」

銀です、と答える。宦官に化けるため、薬指にはめていた銀の指輪は外してきた。

「駿奇、仙嘉殿に酒席をもうけてくれ。花朝節の宴を仕切りなおしたい」

「御意。ただちに水鳥閣へ例のものをお届けいたしましょう」

刀太監が訳知り顔でうなずく。緋燕は小首をかしげた。

「何ですか？　例のものって？」

「花朝節の宴のためにご用意いたしました、李貴人さまの御召し物です」

「君は六月生まれだから、蓮の衣装だよ。艶やかな蓮花花神に扮した君を早く見たいな」

「……いやな予感がしてきたんですけど」

緋燕は本能的な危機感を覚えて、じりじりと後ずさった。

「君が言ったんじゃないか。肉欲は適度に発散しなければならないって」

皇帝は緋燕が作った距離を広い歩幅で飛び越える。美しい瞳は悪戯っぽく細められていた。

「……と、殿方の体のつくりを考えれば、女性として魅力を感じない相手と交接……枕を交わすのは、きわめて困難なので、私では不適任かと……」

「その点は心配いらないよ。君は魅力的だから」

皇帝が頰に触れてくる。またしても鼓動がはねた。いよいよ病状が悪化してきたらしい。

「私はちっとも魅力的じゃないですし、房事向きの体じゃありません。帯を解いたとたん、情欲が霧散して悟りを開いてしまいます。私のせいで主上が女体に興味を持てなく……」

視界がかげる。頰に口づけされた瞬間、睫毛の先までぴんと力が入った。

「君がいやがればいやがるほど、欲しくなるよ」

吐息が柔肌に触れた。頭から湯を浴びたようにかあっと顔が熱くなる。

「……主上は女性の趣味が悪いですね。私より綺麗な方がたくさんいらっしゃるのに」

「牡丹や藤も綺麗だけど、余は蓮が好きなんだ」

「……蓮の季節は、もう少し先です」

「ふくらみかけた蓮の蕾は、恥じらう君のように可憐だよ」

頤をすくい上げられる。緋燕は慌てふためいて皇帝の体を押しのけた。

「や、やめてください。ここは往来で、私は宦官の恰好をしているんですよ？　人に見られたら、主上は宦官を寵愛していると噂になります」

「それもそうだね。変な噂が広がったら困るし、続きは仙嘉殿でしよう」

皇帝の色めいた微笑を見ていると、謎の敗北感が頭の奥をむずむずさせた。

「……あの、念のためにお尋ねしますけど、丁重にお断りした場合は……」

「懲罰されるよ。後宮警吏にね」

逃げられないみたいだ。いやでいやでたまらないのに。

「さあ、選びなさい。仙嘉殿で寵愛を受けるか、宮正司で懲罰を受けるか」

皇帝が笑顔で最悪の二択を迫ってくる。緋燕はどきどきとうるさい胸をおさえた。

（……生きて朝を迎えられるかな）

自信がない。何しろ、きっちり服を着こんでいる皇帝に見つめられるだけで死にそうなくらい動悸がするのだ。素肌をあらわにした皇帝に見つめられたら、頓死しかねない。

「ひとつ、お願いがあります」

何度か深呼吸して、緋燕は皇帝を見上げた。

「寝間では、目隠しをしていてもいいですか」

「目隠し？　君が？」

「はい。主上を見なければ、恥ずかしさを抑えられると思うので」

視覚を封印するのだ。皇帝の姿を見て、心音が乱れるのを防ぐために。

「かまわないけど、なんだか倒錯的だね」

「あと、できれば私に触れるのは最小限にしてください。私の体ほどつまらないものはないので、極力見ないことを推奨します。房事は簡略かつ迅速に済ませていただければ……」

「注文が多すぎるよ、李貴人」

皇帝は緋燕の鼻をつまんで黙らせた。

「お願いはひとつだけだ」

いっそう鼓動が速くなり、緋燕は火照った面を伏せた。

急いで耳栓を作ろう。蕩けるような甘い声音は、毒以外の何ものでもない。

仙嘉殿から水鳥閣に戻ると、緋燕は臥室に駆けこんで布団に身を投げ出した。

「……死ぬかと思った……」

「まあ、そんなに大変でしたか？」

朱紅があたたかい蜂蜜茶を勧めてくれる。緋燕は茶杯を空にして、枕に突っ伏した。

「『金闈神戯』なんかクソの役にも立たないし、耳栓は取られるし、目隠しも外されるし」

「は？　耳栓？　李貴人さま、龍床で耳栓してたんですか？」

幸せ袋なる絹袋――収賄専用らしい――をちくちく縫っている四欲が仰天した。

「主上の御声を聞きたくないからね。でも、途中でばれて取られちゃった」

「取られちゃうでしょう。誰だって耳栓してる女なんか抱きたくないですよ」

「目隠しも外すなんてひどいわ。目隠しはつけてていいって、おっしゃったのに」

始めのうちはつけていたのだけれど、ふいに皇帝が「君の瞳を見たい」などと言い出し、外されてしまったのだ。あらわになった視界に皇帝の裸身が映り、緋燕は悶死しかけた。

「ともあれ、まともな夜伽ができてよかった。おかげで収賄がはかどりますよ」

「今日はお祝いですね！　厨房でごちそうを作っていただきましょう！」

「あ……ごめん。勘違いさせちゃったみたいね。私、閨事完遂できなかったの」

「え⁉　じゃあ、どこまでしてきたんですか⁉」

緋燕は龍床の一部始終を正直に打ち明けた。

「うわー、ひでえや。生殺しじゃないですか」

「私もそう思ったのよ。男体の仕組みは書物で読んで勉強してたから。抵抗しないように縛りつけてでもいいから、最後までしてくださいってお願いしたんだけど……」

『怯えている君からは何も奪えないよ』

無理をしなくていいと、皇帝は言ってくれた。

皇帝はすっかり怖気づいてしまった緋燕を抱き寄せて、なだめてくれた。

「ちょっと嬉しかったな」

「ちょっと⁉」

「うん。主上ね、私が差し上げたからくり仙女を使ってくださっていたの。最初は不気味だったけど、だんだん見ているうちに可愛くなってきたんだって。龍床でからくり仙女の演奏を聴きながら、仙女の指先の構造がどうなってるか話してたら、いつの間にか寝てたわ」

閨の出来事を思い出すと、体がぽかぽかしてくる。怖気づいてしまったのは、皇帝のことが怖かったからではない。彼は玻璃でできた花を扱うように緋燕に触れてくれた。それでもすくんでしまったのは、緋燕が自分で考えていたよりヘタレだったからだ。

「主上は冷たい方なんて言ったことがあるけど、前言撤回。主上は本当にお優しい方だわ」

ごろんと仰向けになって、指先で唇に触れてみる。初めての口づけは、二人きりの宴の席で経験した。棗酒でほんのり酔っぱらった緋燕は、臥室に向かうため席を立つとき、ふらついて転びそうになった。次の瞬間には皇帝に抱きとめられていて、唇を奪われた。

牀榻で蓮花花神の衣装を脱がされてからは、何度、死を覚悟したか知れない。

極度の羞恥は人を殺せると思う。皇帝がもっと雑に、乱暴に事を運んでくれたら、のんびり恥ずかしがっている余裕はなかっただろうが、皇帝は優しすぎるほど優しかった。

「今回はしょうがないとして、さっさと完遂してさっさと懐妊してくださいよ」

「……まあ、それなりに頑張るわ」

実のところ、懐妊はしたくない。今回は必要なかったが、伽の後には薬を飲む予定だった。

(復讐が成功するとは限らない)

母の仇が今もって高位にいるなら、復讐には危険が伴う。仇敵に返り討ちにされて破滅するかもしれないし、怨敵と刺し違えることになるかもしれない。李家に累が及ばないよう手を尽くすつもりではいるが、何の保証もない以上、守るべきものを増やすのは避けたい。

「我が生涯の主、李貴人さま！　刀太監がお見えになりましたよっ！」

朱虹に給仕してもらって朝餉を食べていると、四欲が陽気に踊りながら食堂に入ってきた。昨夜は仙嘉殿で不寝番をしていたはずなのに、朝っぱらから元気なことだ。

「朝早くから何の御用かしら」

「何の御用って‼　そりゃもうひとつしかないでしょうよっ‼」

早く早くと四欲に急かされ、客間へ向かう。

刀太監は三十代半ば。貧農の出身で、とある高級宦官に拾われて彼の養子になった。子をもうけることのできない宦官は、養子をとって自分の後継者として育てることが多い。刀太監の場合もそれで、十歳のときに宦官になり、内書堂で学んだと皇帝から聞いた。

「主上より、聖旨をお預かりしてまいりました」

刀太監が金糸織の巻子を広げる。極彩色で縫い取られた文様は、天子の威光を表す厳めしい五爪の龍。聖旨を読み上げる者は皇帝の代理人だ。綸言を拝聴する際は、すみやかに跪かなければならない。緋燕が跪くと、四欲や朱虹ら使用人たちは平伏した。

「余思えらく、李貴人は緑髪豊麗、蛾眉鳳眼、雪肌繊腰、芳気は天香のごとく、秀色は宝蓮の朝霞に映ずるがごとし。その天質は静淑にして温柔、聡慧にして謹厳、無欲にして寛仁、容徳兼ね備えたる佳人なり。よって李貴人を婉儀となし、希蓉殿を賜う。李婉儀は謹んで婦道に尽くし、六宮（後宮）の規範を示せ――以上」

「皇恩に拝謝いたします」

緋燕は聖旨を受け取った。刀太監に手を取られて、立ち上がる。

「お慶び申し上げます、李婉儀さま」

「ありがとうございます刀太監!!」

緋燕が礼を言うより早く、四欲が高らかに感謝の言葉を述べた。

「っしゃああ!!　これでやっと内監に戻れる!!　賄賂取りまくるぞー!!」

「戻れる？　以前も内監だったことがあるの？」

「六年前まではね。殺人事件の濡れ衣を着せられて、直殿監行きになったんですよ」

「まあ、不運だったわね」

「同情しなくていいですよ。身から出た錆なんですから」

喜びの舞を踊る四欲に、朱虹は軽蔑の眼差しを向ける。

「六年前、女官が連続で惨殺される事件が起きたんです。事件はたいてい夜更け、人通りのない場所で起きたんですが、現場近くでしょっちゅう因内監が目撃されていたんですよ。それで犯人と間違われて後宮警吏に捕らえられたんですが、この人、なんで現場に居合わせたんだと思います？　玉梅観の女道士と密会して帰る途中だったんですよ！　しかも――」

「おい舎氏。無駄口叩くなよ。刀太監がお困りだろうが」

四欲が朱虹をたしなめる。朱虹は刀太監を見て「申し訳ございません」と顔を赤くした。

「こちらは下賜品の目録です。どうぞお納めくださいませ」

緋燕は刀太監から文書を受け取った。目録には豪華な品々がずらりと並んでいる。

「……あの、こんなに高価なものをいただいてよいのでしょうか？　私、昨夜は……」

「主上は大変お喜びでした。位階と下賜品は、その証です」

緋燕が肝心要のところでヘタレてしまったことは、彤史も記録しているだろうに、九嬪の第四位である婉儀に封じられるとは、なんだか申し訳ない。けれども、聖旨を拒否すれば皇帝の面子をつぶしてしまう。ここは拝受しておくしかないだろう。

「にしても、『緑髪豊麗、蛾眉鳳眼、雪肌繊腰、芳気は天香のごとく、秀色は宝蓮の朝霞に映ずるがごとし』って大絶賛ですね!!　主上は李婉儀さまにべた惚れなんだわ!!」

――緑の黒髪は豊かで麗しく、ほっそりとした眉は美しく、切れ長の瞳は涼やかで、柔肌は雪のように白く、細い腰はたおやかで、この世のものとは思えない素晴らしい香りを身にまとい、姿かたちは天上の池に咲くという蓮の花が朝焼けに照り映えているかのよう――

妃嬪冊封の聖旨では定番の美辞麗句だが、褒め殺しにしか聞こえない。

「希蓉殿の支度が調いしだい、尚宮局の宦官がお迎えに上がります。婉儀は妃嬪ですので、明日から毎日、皇太后さま、太皇太后さまに朝見なさってください。妃嬪の儀礼については尚儀局が説明します。詳しいことは尚儀（尚儀局の長官）にお尋ねください」

最後になりましたが、と刀太監は文を差し出した。

「主上の私信です。こちらは勅書ではありませんので、私は読み上げられません」

上品な香が焚き染められた文を受け取り、緋燕は刀太監を見送った。書房に入り、窓から差しこむ朝日を頼りに文に目を通す。

いつだったか、君の声は春雨のように静かだと言ったけれど、あれは正しくない。昨夜聞いた君の声は、紅雨のように艶やかだったよ。

これだけである。だから何だと首をかしげていると、朱虹がニンマリした。

「ふふふ……主上ったら、よほど昨夜の李婉儀さまがお気に召したんですねえ！」

「昨夜の私って、ここぞというときにヘタレて職務放棄したへっぽこ宮女のこと？」

恥ずかしさのあまり悶死しかけて、『金閨神戯』の妙技をひとつも実践できなかった。宮女の本分は皇帝を楽しませることだというのに、それどころではなかったとは情けない。

「へっぽこだなんてとんでもない。ほら、ここに書いてあるじゃないですか。閨中での艶のあるお声が紅の花を濡らす雨のようだったと。ちなみに、紅雨という言葉は紅の花が散る様も意味しますので、昨夜の李婉儀さまの婀娜めいたお声は、無垢な乙女が花を散――」

「あーあーもういいから！　分かったから！」

緋燕は慌てて朱虹を止めた。意味が分かると、この文をただちに爆破したくなった。

「どんな素敵な夜だったのかしら。あとで虹霖姉さんに訊いてみようっと」

「彤史なんですよ。昨夜、仙嘉殿にお仕えしていたので、李婉儀さまのお声がどれほど素晴らしかったのか、しっかり記録しているはずですよ」

「……ちょっと文を書くわ。ひとりにしてちょうだい」

彤史に口止めしておかなければ。一日中、朱虹にからかわれるのはごめんだ。


栄太后の住まいは秋恩宮という。前の女主人は孝熙皇后（至興帝の皇后班氏）だ。孝熙皇后は仁啓帝の生母であり、光順帝の祖母、今上・崇成帝の曾祖母である。栄太后は多くの后妃の中で孝熙皇后に最も信頼され、彼女の遺言で秋恩宮を賜った。

「皇太后陛下に拝謁いたします」

緋燕は長い袖を広げ、床に跪いた。宝座に腰かけている栄太后に恭しく拝礼する。

「はい、拝謁されました。面倒くさい挨拶はおしまい。で、いいわよね、清白？」

「あまりよろしくありませんが、太后さまの御意のままに」

宝座の隣に控えているのは、栄太后付き主席宦官・暦太監だ。

宦官は男でなくなったときに上官から名を授けられる。これは嘲名と呼ばれ、蔑みの意味をこめた名前だ。のちに主から名を賜ることがある。それが賜名と呼ばれるものだ。こちらは美称であり、主から名を賜ることは、宦官にとって、この上ない栄誉である。

暦太監の賜名は清白というらしい。品行方正な人柄を評した命名だろうか。

「李婉儀、こちらへいらっしゃい。お茶の用意をしているのよ」

宝座から降りてきた栄太后が緋燕の手を取って立ち上がらせた。壮麗な謁見の間をあとにして、こぢんまりとした茶寮に入る。

「薄荷入りの蜜和餅をどうぞ。香露餅のほうが好きかしら？　杏仁糖酥餅もあるわよ」

栄太后は花模様の磁器に盛った菓子を勧めてきた。

「あなたが来てくれて、本当によかったわ。皇太后になってから毎朝、暇で暇でしょうがなくて。皇后だったときは、毎日朝礼があったでしょ？　あれがなくなったから、太皇太后さまとおしゃべりするくらいしかすることがないんだけど、この頃は話題も出尽くしてきて……あ、あとで太皇太后さまがお住まいになっている灯影宮へ行きましょうね」

栄太后は親しみやすく、おしゃべりな婦人だった。五十路を過ぎているが、光順帝の寵愛を一身に受けた美貌は朗らかに輝いている。

「どれを食べる？　多めに作ったから遠慮しないでね。遊宵に李婉儀のことを聞いてから、会ってみたいと思ってたのよ。あなたのこと、いろいろ聞かせて。仲良くなりたいわ」

緋燕は杏仁糖酥餅を食べながら、食べ物の好みや好きな本などを問われるままに答えた。

「恐れながら、太后さま。質問攻めになさっては、李婉儀がお困りかと」

夜伽のことを尋ねられて返答に詰まると、暦太監が助け船を出してくれた。

(暦太監は刀太監と同じ三十代だったわね)

どちらも絶世の美形だが、どこか冷淡そうな刀太監と違って、暦太監は温和そうだ。

「あっ、そうよね。夜伽のことなんて訊かれても困るわよね。ごめんなさいね、李婉儀。どうしても気になっちゃって。私のときは、あんまりうまくいかなかったから」

栄太后は恥ずかしそうに目を細めて杏仁糖酥餅をかじった。

「私は夜伽に苦労したのよ。婚礼の夜に結ばれることができなくてね……」

「なぜですか?」

「その……私が途中で気を失ったのよ。今では笑い話だけどね。結ばれるまでに六回も気絶したの。太医にはそういう体質だって言われたけど、圭鷹さま――太上皇さまに申し訳ないし、恥ずかしいしで、だんだん夜伽が怖くなってきて……。怪しい薬に頼ったり、いかがわしい書物を読んで勉強したり……って、こんなはしたない話、聞きたくないわよね」

「ぜひお聞きしたいです」

意外なところに仲間を発見。緋燕はずいと身を乗り出した。


太皇太后に謁見して後宮へ戻る道すがら、皇帝一行と出くわした。皇帝顧問官である内閣大学士を始めとして、刀太監ら高級宦官、外朝勤めの女官たちが同行している。

「だめですよ、李婉儀さま。主上にご挨拶申し上げなければ」

くるりと方向転換して物陰に隠れようとすると、朱虹に腕をつかまれてしまった。

「……どんな顔してお会いすればいいか分からない」

「昨夜のお顔でいいと思いますよ？」

朱虹がにっこりしている。緋燕は溜息をついた。しぶしぶ皇帝の御前に進み出る。

跪いて型通りの挨拶をすると、皇帝は緋燕の手を取って、立ち上がらせてくれた。

「文の返事をまだもらっていないよ」

「……書いていません」

「ひどいな。返事が来るのを待っていたのに」

頤(おとがい)をすくい上げられ、まともに目が合ってしまった。瞬時に昨夜の羞恥(しゅうち)がよみがえる。

「返事を書かなかった罰だ。今夜も侍寝(じしん)しなさい」

「ええっ……!?　き、昨日の今日ですよ!?」

「昨日、君は貴人だった。今日は婉儀だ。李婉儀として初めての侍寝だよ。胸が高鳴るだろう？」

「……冷や汗が出てきました」

距離が近すぎる。心臓が口から飛び出しそうだ。

日輪(にちりん)の下で見る皇帝は、いつも通り、神々しいほど見目麗(みめうるわ)しい。しかし、それ以上に色香を感じてどきどきしてしまう。閨で見た彼の姿や表情が眼裏(まなうら)に焼きついているせいだろう。

「そんなにいやかい。傷つくな」

皇帝が苦笑した。いやなのではないと反射的に言おうとして、緋燕は口ごもった。

「じゃあ、今夜は添い寝だけで我慢しよう」

やんわりと頬を撫でられると、胸の奥が不思議にざわめく。

「希蓉殿に鞦韆を用意させている。仙女のように宙を舞う君を見たいから、訪ねていくよ」

規則により、六侍妾以下の宮女は仙嘉殿以外で進御してはならない。だが、妃嬪以上の后妃はこの限りではなく、自分の殿舎で皇帝と一晩過ごすことができる。もっとも、どこで夜伽する場合も彤史が記録をつけるので、秘め事は秘め事にならないのだが。

「……私、鞦韆は苦手です」

体を動かす行為全般が不得手だ。閨のあれこれも含めて。

「余が背中を押してあげよう」

「……恐れ多すぎて死にます」

「ん？　その台詞は昨夜も聞いたな。確か、余が君の」

「なっ、内閣大学士の前でそのようなお話はなさるべきではありません……！」

緋燕は真っ赤になって首を横に振った。

「君を恥ずかしがらせる楽しみは、夜まで取っておこう」

「……こ、今夜は、添い寝だけ、なんですよね？」

「ああ、そうだよ。紅雨のような君の声に、余が耐えられればね」

蠱惑的な囁きが耳朶をくすぐった。先に耐えられなくなるのは——絶対に緋燕だ。

この日、緋燕は中級宦官・素燕の恰好で敬事房に忍びこんでいた。

目当ては十年前、内監を務めていた宦官の名簿だ。

栄枯盛衰を繰り返してきた歴代王朝の中で、凱は最も宦官と縁が深い。建国に尽力した功臣には前王朝の宦官がいるし、太祖が丞相よりも信頼していた人物は宦官だった。

無学であれとされてきた宦官のために内書堂を創設したのは、風流天子・聖楽帝の跡を襲って即位した無雪帝である。無雪帝の御代はわずか三年で終わったものの、内書堂は教養を身につけた有能な宦官を輩出し続けた。彼らは難関の試験を突破して仕官した外朝の官吏たちのように重用され、良くも悪くも、政に欠かせない存在になっている。

要するに頭数が多いのだ。十年前に内監だったという条件だけだと、三百を下らない。ここで書き写すのは無理だ。名簿を拝借して、複写した後で返しにくることにする。

用事を済ませ、緋燕は来たときと同じように堂々と門に向かった。何食わぬ顔で門を出たところまでは計画通り。が、ここで不測の事態。旅司正と鉢合わせしてしまった。

「李婉儀さま、そのような恰好で何をなさっているのです？」

旅司正は険しい顔をますます険しくした。花朝節の宴の席で素燕の扮装を見られているから、旅司正が敬事房に来る時間を避けたのだが、不運なこともあるものだ。

「敬事房に進王朝時代の天球儀があるとうかがいましたので、見物にまいりました」

天球儀は星座を映した球体の模型である。見てきたのは事実なので、嘘はついていない。

「わざわざ変装などなさらなくても、豹太監に申し付けてくだされればよいのですよ」

「素燕の恰好が気に入ったんです。つい悪戯心で来てしまいました」

「悪戯は今回限りに。妃嬪ともあろう方が宦官のまねごとをなさるべきではありません」

旅司正は緋燕を希蓉殿まで送り届けるよう、数名の部下に命じた。

（旅石鼠は、十年前から司正を務めている）

宮正司の次席宦官・司正は、宦官の位でいえば内監である。旅内監といってもいいのだが、他の役所と違って、宮正司の宦官には太監や内監といった呼称を用いないのが慣例だ。

しかし、懐の名簿には旅石鼠の名もあった。

（この名簿の中の誰かが、私の仇敵だ）

牙をむいた獣のような怨讐の炎は、今もなお緋燕の血肉を焦がし続けている。

風薫る穏やかな午後のこと。碧麗が希蓉殿を訪ねてきた。

「緋燕！　大丈夫⁉　すごい音がしたけど、何かあったの⁉」

「実験してたのよ。紫旦砂っていう外来鉱物は水とわずかな火で爆発するって本に書いてあったから、試したの。配合を間違えたみたいね。前の実験では爆発しなかったから、紫日砂を多めにしたんだけど、予想以上の大爆発。危うく希蓉殿を吹っ飛ばすところだったわ」

　緋燕は焦げ臭くなった短衣を雑にはたいた。実験用の簡素な衣服なので、汚れてもかまわないが、顔中、煤まみれになってしまった。そっけなくまとめていた髪もぼさぼさだ。

「大爆発⁉　怪我しなかった⁉」

「十分に距離を取って実験してたから無傷よ。消火も済んだし」

　外院から口笛が近づいてきた。誰かと思えば、ご機嫌な四欲である。

「うわ、すげえ薄汚い端女がいると思ったら、李婉儀さまじゃないですか！」

「どこに行ってたのよ、四欲。実験を手伝ってもらいたかったのに」

「実験とやらを手伝いたくないんで出かけてたんですよ。おかげで一儲けできました」

「また賭け事ね。まったく、博打なんか何が楽しいのかしら。実験のほうが楽しいわよ」

「人の趣味にケチつけてる暇があったら、早く着替えてください。焦げ臭いんで」

　躑躅が見ごろである。着替えを済ませ、緋燕は碧麗を連れて高台の四阿に行った。今朝方、栄太后に下賜された棗入りの蒸捲を食べつつ、おしゃべりする。

「昨夜は……惜しいところまではいけたんだけど」

　気まずさをごまかすように茶杯に口をつけて、緋燕は昨日の夜伽について話した。

「残念だったわね。だけど、前回よりも進められたじゃない。完遂まであと少しよ」

蒸捲をぺろりと二つ平らげた碧麗が励ましてくれる。

（……本当は、碧麗が進御するべきなのに）

緋燕はかりそめの寵姫。進御をしているのは、皇帝の情欲を発散する――今のところ逆効果だが――ため。互いに恋情はないと碧麗には話しているけれど、なんだか後ろめたい。

「あれから、呉貴人にいやがらせされてない？」

河原で実験した日、碧麗が同行できなかったのは、呉貴人に転ばされて足をくじいたせいだった。緋燕と皇帝のそばに侍ることが多い碧麗に、呉貴人は敵意を募らせていたようだ。

「最近は借りてきた猫みたいにおとなしいわ。折貴人の件がこたえたみたいね」

折貴人と背少監は、名誉ある死を選ばなかった。

「呉貴人がおとなしくなったせいか、蘇貴人がとても元気よ。今日もここに来るまでに蘇貴人にねちねちいやみを言われたわ。蘇貴人も焦っているんでしょうね」

貴人たちはみな、実家の期待を背負っている。家格が高ければ高いほど、期待は重くなる。

（……碧麗だって念家から催促されているわよね）

念家と同格の李家出身の緋燕が寵愛を受けている。念家が碧麗に夢を託すのも無理はない。

「ねえ、碧麗。主上が自分のことを愛してくださらなくても、進御したいと思う？」

緋燕は思い切って尋ねてみた。

「私が思うに、主上は後宮の誰も愛すつもりはないみたい。宮女たちを政の道具としてしか、見ていらっしゃらないの。それが非情だとは言わないわ。天子なら当然のことだし……。もし碧麗がそのことを気にしないなら、あなたを召してくださるよう主上にお願いするわ」

一度、断られていることは伏せておく。彼女を傷つけたくない。

「ありがとう、緋燕」

碧麗はどこか切なげに微笑んだ。

「厚意は嬉しいけど、推薦してくれなくていいわ。わらわはまだ進御できなくてもいいから」

「主上をお慕いしているんでしょう？」

「うん。だからこそ、しないほうがいいと思う。少なくとも、今は。気持ちの整理がついていないの。もし今、進御したら、わらわは主上のことをもっと好きになってしまうわ。恋しくて恋しくて、たまらなくなるかも。それって、一番危険なことよ。ここは後宮なんだから」

三千の名花が咲き競う天子の禁園。花たちは悪意にさらされ、紅涙に濡れる。

「入宮して、進御して、寵姫になることを夢見ていたわ。だけど、そんなの子どもの夢よ。寵愛は永遠のものじゃない。甘い夢の後で待っているのは、長い長いひとり寝の夜」

碧麗は三つ目の蒸捲に手を伸ばした。おいしそうにかぶりつく。

「至尊の殿方に恋をしたのが運のつきね。わらわが六年前出会った方が皇太子さまじゃなくて、念家と釣り合う家柄のご子息だったら、普通の結婚をして普通の幸福を味わえたかも。けれど、

『もし』なんて言っていてもしょうがないわ。わらわは主上に恋をして、入宮した。後宮がわらわの生きる場所。ここでよりよく生きていくには、恋心に身をゆだねてはだめ」

「恋を封印するの？」

「まさか。恋は大事にするけど、恋だけに心を捧げないつもり。入宮したからには、いつか侍寝して御子を授かりたいわ。将来のためにも、実家のためにもね。その前に気持ちを整理しなくちゃ。今のわらわは恋に浮かれすぎなのよ。主上のことを考えるだけで、体がふわふわしちゃうんだもの。進御するなら、もうちょっと大人になってからのほうがいいわ」

「あなたは十分、大人だわ」

緋燕は碧麗の手を握った。自分の未来を見据える気丈な麗人の手だ。

「わらわなんて全然よ。あなたのほうがずっと大人だわ。夜伽だって何回も経験してるし」

「……未遂だけどね」

「きっと次はうまくいくわよ。完遂したら、わらわにコツを伝授してね」

「教えられるほどの技術が身につくかな……。一対一っていうのが問題を難しくしてると思うのよね。二人いっぺんに侍寝させてくだされればいいんだけど」

「え！　ふ、ふたりいっぺん!?」

「名案でしょ？　二人で侍寝すれば、緊張も責任も半分になる。三人ならもっと仕事を分担できて助かるわ。その分、主上の負担が増えるけど、主上なら心配ないはず」

「李婉儀さま。あなた……主上に今のお話をしたりしてませんよね？」

傍らに控えた四欲が非難がましく睨んでくる。

「したわよ。複数で侍寝させてくださいませんかって。主上なら三人までは大丈夫でしょうって申し出たら却下されたわ。ひとりで手いっぱいだって。主上も案外、精力がお強いわけじゃないのかしら？　閨では、そんなふうには見えないのに。むしろ……碧麗!?」

碧麗がふらっと倒れようとする。念貴人付きの宦官が慌てて支えた。

「やっぱり、わらわに夜伽は早すぎるわ……。閨のことを想像しただけで死んじゃいそう」

見目麗しい宦官の腕にもたれかかり、碧麗は赤らんだ頬をおさえた。

「あなたを不安にさせたくないから、あまり言いたくはないけど……想像以上よ」

「想像以上……!?　た、たとえばどう……あ、言わないで！　頭が変になりそうだから」

碧麗は深呼吸して、姿勢を正した。

「話題を変えましょう。ええと、何のことを話そうかな……ああ、そうだわ。怪談がいいわね。最近、貴人たちの間で噂になってるの。春睡閣に女の人の幽霊が出るんですって」

幽霊は鞦韆に乗っているらしい。

「でもね、見えるのは上半身だけ。その幽霊、腰から下がないの」

自分で持ち出した怪談なのに、碧麗はぶるりと震えた。

「春睡閣の幽霊を見た人は数日以内に変死するって聞いたわ。ぞーっとするわよね」

幽霊というものを、緋燕は恐れていない。

（本当に幽霊が存在するなら、父さまと母さまと兄さまに会いたい）

一足先に死者の国へ旅立ってしまった大切な家族。彼らが幽霊になって目の前に現れてくれたら、きっと涙が止まらなくなる。慕わしい家族に再会できるなら、どんな形でもいい。

春睡閣の幽霊に尋ねてみようか。家族の幽霊に会うには、どうしたらいいのか。

「興味深いわね。さっそく今夜、春睡閣に行ってみるわ」

「えっ⁉　幽霊よ⁉　見たら変死するのよ⁉」

「あ、そっか。変死はいやね。どうしよう。ねえ、四欲？　幽霊にも賄賂は効くかしら？」

「知りませんよ。幽霊に贈賄したことないですし。ってか、あなたね、今夜も主上が希蓉殿にお見えになるんですよ？　幽霊見物なんかしてる場合ですか」

そうだった。敬事房から、今夜も皇帝の進御を務めるよう命が下っている。

（……どうして私を何度もお召しになるのかしら。宮女なら他にたくさんいるのに）

目隠しも耳栓もさせてもらえない上、『金闈神戯』はちっとも助けにならない。

『君の寝顔は値千金だね』

朝になると、皇帝は寝ぼけ眼の緋燕に口づけする。妃嬪は夜明け前に起きて皇帝の身支度を手伝わなければならないのに、緋燕は寝とぼけて皇帝にしがみつく始末である。

『可愛らしく引きとめられると離れがたいけれど、行かなければならないんだ』

甘ったるい囁きがぼんやりとした頭に響く。

『引きとめてるわけじゃありません……。主上が、とてもあたたかいので、なんとなく、しがみつきたくなってしまうんです』

皇帝から離れると、心もとない感じがする。おそらく、人肌が恋しいのだろう。家族を喪ってから、誰かのぬくもりに包まれるということが絶えてしまったから。

『君もあたたかいよ、李婉儀』

皇帝は緋燕をしっかりと抱きしめてくれる。そのたびに緋燕は泣きそうになってしまう。

(主上のご厚意にすがってはいけないわ……)

家族になろうという言葉に胸がつまることはあっても、身をゆだねてはいけない。

天子とは移り気なもの。ましてや崇成帝は、水銀のような御仁。

肌身は捧げても、心までは明け渡してはいけない。


とっぷりと日が暮れた頃、遊宵は希蓉殿を訪ねた。

「主上のご来駕を賜り、恐悦至極に存じます」

李婉儀は花模様の鋪地(敷石)が敷かれた地面の上にひれ伏した。

皇帝を迎える際、妃嬪は外院に出て、使用人ともども平伏しなければならない。

「律儀なことだね。堅苦しい挨拶は省いていいと言っているのに」

「後宮に身を置いている以上、規則は守らなければなりません」

上品な所作で立ち上がった李婉儀が冷ややかな面差しをこちらに向けた。

この頃、彼女の澄まし顔を見るたび、口元が緩んでしまう。

「君は二人いるみたいだね」

遊宵は李婉儀の結い髪に散り落ちた海棠の花びらを払った。

「閨の中の君と、閨の外の君。どちらも魅力的だけど、昨夜の君は特に可愛らしかったな」

「……そのようなお話は臥室に入ってからにしてください」

「じゃあ、早く寝間に行こうか。昨夜の君に、また会いたい」

常に冷静沈着で老成している李婉儀は、帯をほどいたとたん、か弱くなる。まるで狼に睨まれた兎のように縮こまり、怯えと不安で瞳を潤ませるのがたとえようもなく可愛い。今にも泣きだしそうな彼女をじわじわと追いつめていく行為に、遊宵はすっかり魅了されていた。

「主上、お願いがございます」

臥室に入るなり、李婉儀が言いにくそうに口を開いた。

「明日は、夜伽をおやすみさせていただけないでしょうか」

「ああ……金の指輪かい」

月の障りがあるとき、后妃侍妾は左手の中指に金の指輪をはめる。

「いえ、あの……あ、その手があったか。ええ、はい。金の指輪です」

「嘘はいけないよ、李婉儀。虚偽は懲罰の対象になる」

后妃侍妾の月の障りは敬事房が記録をとっている。身籠ったときに、不貞でないかどうか確かめるためだ。これを偽ると、後宮警吏に罰せられる。

「では、正直に言います。明日は幽霊に会いに行きたいので、夜伽をやすませてください」

李婉儀は春睡閣の幽霊を見に行きたいのだという。

「腰から下がない女の幽霊か。凍玉人かな？」

残虐天子・灰壬帝の御代、春睡閣に住んでいたのは、六侍妾の第二位・玉人を賜っていた凍氏だった。彼女は反逆の罪に問われ、腰斬（腰斬り）の刑に処された。

「春睡閣の幽霊をご覧になったことがあるんですか？」

「いや。春睡閣の腰から下がない女幽霊というから、凍玉人を思い出したんだ」

「主上は幽霊を見たことがありますか？」

「ないけど、君はあるのかい」

「私もないです。もし幽霊が本当にいるなら、会ってみたいと思って」

また突拍子もないことを言いだしたな、と苦笑した直後。

（家族が恋しいんだろうか）

李婉儀は幼くして父母と兄を亡くしている。幽霊というものに家族を重ねているのだろう。

「噂によれば、春睡閣の幽霊を見た人は、数日以内に変死するそうです」

「危険じゃないか。行ってはいけないよ」

「でも、会ってみたいんです。いろいろ訊きたいこともあるし」

「見たら変死するんだろう？　邪悪な死霊だ。女道士を遣わして祓わせよう」

「祓う前に話をさせていただけませんか。どうすれば家族の幽霊に会えるのか知りたいです」

李婉儀が見上げてくる。いつになく切なげな眉目に心が動いた。

「分かったよ。その代わり、余も同行する」

「だめです！　噂が本当だったら、主上まで変死なさいます」

「噂なんて八割がた嘘だよ。まあ念のため、除霊に詳しい女道士を連れていこう」

「じゃあ、主上は目隠しをしていてください。幽霊が御眼に触れないように」

「君は目隠しが好きだね」

遊宵が笑うと、李婉儀は柳眉を逆立てた。

「主上に何かあったら、罪は九族に及びます。李一族を滅ぼすわけにはいきません」

「あくまで保身か。君のそういうところが好きだよ」

並みの女人なら「主上のことが心配だから」と言うだろうが、李婉儀は本音を言う。

（何の目的で敬事房に行ったんだろう）

李婉儀が宦官に化けて敬事房に忍びこんでいたことは、旅司正から報告を受けている。

　天球儀を見たかったというのは、表向きの理由だろう。聡明な彼女がそんなことのために危険を冒すはずがない。豹太監には頼めない用件だったのではないだろうか。

「旅司正から聞いたよ。素燕になって敬事房に忍びこんだんだって？」

　牀榻に李婉儀を座らせ、遊宵は彼女の隣に腰かけた。

「どうせなら外朝に出て暁和殿まで来ればよかったのに」

「いいんですか？」

「いいよ。素燕が来たら通すよう、門衛に命じておこう」

「暁和殿には、宝船（大型船）の模型があると聞きました。見てみたいです」

「いつでも見にきなさい。ただし、暁和殿に行ったら必ず余に顔を見せること」

　承知しました、と李婉儀は生真面目にうなずいた。

「ですが、私が素燕の恰好をしているときは、変なことはなさらないでくださいね？　か、体に触ったりとか、く、口づけしたりとか……主上が男色家だと噂されてはいけませんので」

「約束はできないな。素燕は可愛いからね」

（泳がせてみるか）

　李婉儀が何かを隠しているのは間違いない。ひそかに動向を探らせよう。

「主上……」

　黒髪をかき上げてこめかみに口づけすると、李婉儀は心もとなげに睫毛を伏せる。

「三人で侍寝するの、本当にだめですか？　三人なら、今よりご満足いただけるかと……」

「聞こえのいいことを言っているけど、要は君が楽したいんだろう？」

しゅるりと夜着の帯をほどく。

「……だって、ものすごく疲れるんです。進御した翌日は、昼間でもだるくて眠いし」

「慣れていないからだよ。体を慣らせば、疲れなくなる」

聞こえのいいことを言うのは、李婉儀だけではない。

「君が早く慣れるように協力しよう」

唇を奪うと、李婉儀が龍衣の袖を握ってくる。どこか頼りなげな仕草がひどく愛らしい。

「……乱暴に抱いてくだされればいいのに」

牀榻に横たえられた彼女は、あえかな艶を帯びた瞳で遊宵をとらえる。

「波業帝みたいに鞭打ってくださったら、いっそ気楽です」

「悪いけど、李婉儀。君に楽をさせてあげるほど、余は優しくないよ」

芙蓉文の宮灯に照らされ、褥に散った黒髪が婀娜っぽく輝いている。

「君をいたぶって、追いつめて、苦しめるのが好きなんだ」

内衣姿の李婉儀に覆いかぶさり、物言いたげな唇をふさぐ。

（いったい君は何を隠しているんだ？）

どれほど肌を合わせても、彼女の心までは触れられない。それがもどかしく、憎らしい。

奇妙なことだ。李婉儀はあくまで一時的な寵姫。呉家と栄家に朝廷を明け渡さないため、寵愛の受け皿として利用しているにすぎない。彼女の役割が終わった後も、相応の待遇を与える予定だが、同じく喪失を味わった者として共感を示す程度に抑えるつもりだった。

李婉儀が遊宵に心を開かなくても、いっこうにかまわない。閨のふれあいは、互いにとっての務め。愛し合う男女ではないのだから、秘密を共有する必要はない。

それなのに、なぜか――知りたいと思ってしまう。李婉儀の、ありのままの心を。

素肌だけでなく、胸の内側に触れてみたい。何もかもをさらけ出した李緋燕を見てみたいと。

そんな願いに危うさを覚えつつも、彼女を暴きたい衝動が募るのをとめられない。

「あなたは……波業帝より淫虐です」

李婉儀がつらそうに眉を引きしぼっている。遊宵は微笑んで、彼女に口づけした。

「今頃、気づいたのかい」

この行為に、さしたる力はない。こんなことでは、彼女を暴けない。そうと知りながら、飢餓感にも似た歯がゆさに急き立てられ、李婉儀の柔肌に溺れていく。

しっとりと暮れゆく春の夜。金閨には今日も紅雨が降る。


翌日の深更、緋燕は皇帝を連れて春睡閣に出かけた。

屋根付きの豪奢な輿に揺られている。最悪なことに、皇帝と相乗りだ。

「不思議な気分だね」

皇帝が蕩けるような声で囁いた。龍衣に焚きしめられた龍涎香の芳気に酔いそうになる。

「二人とも目隠しをしている。どんなつやめいた夜になるのかと、期待が高まるよ」

「……高まりません」

春睡閣の幽霊を見た者は数日以内に変死するという噂に備え、二人とも目隠しをしている。何も輿の上でつけなくても、春睡閣に到着してからつければいいのだが、皇帝が面白がって緋燕に目隠しをつけたので、緋燕もお返しに皇帝に目隠しをしてやったのだ。

「主上、どこに触っていらっしゃるんですか」

「君の腕だよ」

「……そこは腕じゃありません」

「そうかい？　目隠しをしているせいで見えないんだよ。じゃあ、ここが腕かな？」

「……違います」

視界が隠されているのをいいことに、皇帝は緋燕の体に触れてくる。おかげで緋燕は昨夜の夜伽を思い出して、羞恥で頬が赤らんだ。

「房事過多は玉体に毒です。少しはお控えになったほうがよろしいかと」

「三人いっぺんに侍寝させることを勧めている君に言われたくないな」

言い返そうとした唇を、唇でふさがれる。

（こんなの……何の意味もない行為だわ）

ひとたび肌を許してから、皇帝は以前よりずっと気安くなった。あたかも緋燕を愛しく思うかのように触れて、口づけしてくる。枕を交わした男女の距離感としては、これくらいが正常値なのかもしれないが、物慣れない緋燕は体の距離が縮まるたびに恐怖で足がすくむ。

（主上は戯れていらっしゃるだけ……。私に情を感じてくださっているわけじゃない）

素肌で触れ合うことが怖い。口づけされたり、抱きしめられたりするのが、恐ろしい。心は明け渡さないと決めているのに、じかに感じる体温が決意を阻もうとする。

皇帝は肉欲以外のものを緋燕に向けてくれているのではないか。彼の眼差しや言葉に愛情が混じっていないか。いつしかこの関係は〈かりそめ〉でなくなるのではないか。

愚かしい希望が胸に芽生えて、苦い気持ちになる。皇帝にとっては、優しい口づけも、甘い囁きも、雲雨の交わりも、うたかたの歓楽にすぎない。緋燕が寵愛されているのは、単に都合がいいからで、政の風向きが変われば、他の誰かが寵姫になるだろう。

そんなことは承知しているのに、日に日に胸のざわめきが大きくなっていく。じきに後戻りできない地点まで行ってしまいそうで、危機感を覚える。

「もし、君があと二人いるなら、三人いっぺんに龍床に召すことも悪くないけれどね」

皇帝の指が火照った頬をなぞる。愛おしむような仕草が胸を締めつけた。こんなふうに触れないでほしい。勘違いしてしまいそうだ。——愛されていると。

「分かりました。私そっくりなからくりを二体作ります」

「からくりはいやだよ」

きっぱりと断られたとき、春睡閣に到着した。同行している女道士が様子を見に行く。

「噂通りです。内院の鞦韆に女の上半身がぼうっと光って見えます」

戻ってきた老齢の女道士が神妙な口ぶりで言った。彼女は除霊に長けており、禍をなす悪霊を幾度となく祓ってきたのだという。

「しかし、妖気を感じませんし、邪霊払いの呪符にも反応がありません。噂が言うように、人を呪詛して死に至らしめる悪霊ではないようです」

「危険はないのか？」

「断言はできかねます。あれが邪霊でないことは間違いありませんが、なにゆえ女の上半身なのか、なにゆえ光を発しているのか、分かりませんので……」

「とにかく、悪霊ではないわけだ。ほら見なさい、噂は嘘だっただろう？」

皇帝が目隠しをほどく気配がした。

「主上だって、半信半疑でいらっしゃったくせに」

緋燕も目隠しをほどく。輿から降りて、春睡閣に向かおうとすると、女道士に止められた。

「こちらでお待ちください。わたくしめが詳しく調べてまいります」

女道士は再び春睡閣に入っていった。ほどなくして、縦長の紙を持って戻ってくる。

「女の上半身と思われたものは、紙に描かれた絵でした」

憂鬱そうな面長の美人の上半身を描いた等身大の絵だった。髪型は灰壬帝の御代に流行した新興髻。ざっくりと巻き上げて結った髪は襟足がほつれていて婀娜めかしい。

だが、気になるのは画中の美人そのものではなく、彼女が光を帯びていることだ。決して強い光ではないけれど、暗がりにぼうっと浮かび上がっている。

「やめなさい、李婉儀。毒かもしれないよ」

絵に触れようとして伸ばした手を皇帝につかまれた。

「いえ、毒ではありません。これは冷光塗料です」

緋燕はつかまれていないほうの手で絵に触れた。光を放っているのに、ひんやりとしている。発火して光っているわけではない。

「とある南方の島国では、特殊な牡蠣からしずくを集め、顔料と混ぜて塗料を作ります。これを使って描いたものは、暗がりでぼうっと光を帯びるんです」

「つまり、単なる絵具だというのかい？」

「光る絵具です。私も子どもの頃、作ったことがあります。客人にふるまうための高価な牡蠣を無断で使ったので、叔母に叱られました」

女道士はこの光る絵が鞦韆の縄に貼りつけられていたと話した。

「上半身だけの美人が鞦韆に乗っているかのように見えました」

薄闇の中なら、幽霊と見間違えても無理はない。

「誰が、何のためにそんなことをしたんでしょう？」

「単なる悪戯にしては手がこんでいるね」

ここが腰斬刑に処された凍玉人の住まいだったことを踏まえての悪戯だろうか。

「とりあえず現場を確認しましょう」

緋燕が春睡閣の門をくぐると、皇帝もついてきた。

女主人がいないため、放置された内院は荒れ放題だ。雑草が生い茂り、花木は無造作に枝を伸ばしている。花が終わりかけた枝垂れ海棠の下に、鞦韆があった。

「確かに、上半身だけの女性が鞦韆に乗っているように見えますね」

緋燕は光る絵具で描かれた絵を鞦韆の上で広げてみた。

「凍玉人は鞦韆が好きだったと何かの書物で読んだな」

「じゃあ、これはやっぱり凍玉人の絵でしょうか？」

凍玉人だとすると、下半身が描かれていないことにも納得できる。

「幽霊騒ぎを起こしたかったのかしら……？」

緋燕が小首をかしげていると、皇帝は合点がいったというふうに笑った。

「どうやら、我々はひどく無粋なまねをしたらしいな」

「無粋？　どういうことですか？」

緋燕の問いには答えず、皇帝は刀太監に何事か耳打ちした。刀太監はうなずき、配下たちを連れて母屋のほうへ歩いていく。

「さて、幽霊見物はおしまいだ。帰ろうか、李婉儀」

「待ってください。疑問は何も解決していないんですが」

「解決したよ。おおかた、幽霊騒ぎを起こしたのは春睡閣から人を遠ざけるためだ。春睡閣の幽霊を見た者が数日以内に変死するという噂も、故意に流したものだろう」

「そこまでして、なぜ春睡閣から人を遠ざけようとしたんですか？」

「ここで逢瀬を楽しむためだよ。後宮ではよくあることだ。宦官や女官、ときには女道士や宮女が秘密の恋人と忍び合う。主人のいない建物が密会場所になることが多い。逢瀬の間、邪魔が入らないようにするため、物騒な噂を流すのも常道だ」

皇帝は緋燕の手を握った。

「人の恋路を邪魔するわけにはいかない。さあ、行こう」

「でも……女官や女道士ならともかく、宮女が恋人と密会するのは不貞では？」

「もちろん、不貞だよ。宮女は全員、皇帝の所有物だからね。だが、宮女の不義密通を取り締まるのは宮正司――後宮警吏の職分だ。余の仕事じゃない」

「後宮警吏に引き渡すんですか……？」

「そんな面倒なことを余がいちいちするわけないだろう。注意しておくだけだよ」

見逃してくれるのか。皇帝の目にとまることのない、不運で孤独な宮女たちを。

「宮女を気遣ってくださったことに、お礼を申し上げます」

緋燕は皇帝の手に自分の手を重ねた。

「感謝の言葉だけじゃ物足りないな。返礼は希蓉殿でしてもらおうか」

「……房事過多はご健康を損ねますと申し上げました。今宵は寝宮にお戻りください」

「つれないね。幽霊騒ぎに付き合わせておいて、手ぶらで返すのかい？」

皇帝が恨みがましく緋燕の手に口づけしたとき、刀太監が慌ただしく戻ってきた。強張った面持ちで主君に耳打ちする。暗がりの中でも、皇帝の表情が変わるのが見て取れた。

「君はここにいなさい」

皇帝は刀太監に先導されて母屋へ向かった。何事だろうと気にかかり、緋燕は追いかける。

母屋も荒れていたが、内院ほどではない。軒端には蜘蛛の巣が張っており、扉や柱は古びているが、室内は丁寧に掃除をした後みたいに、ほこりをかぶっていなかった。

皇帝は薄暗い廊下を突き進み、奥の部屋へと急ぐ。おそらく、向かう先は臥室だ。

（誰かが、泣いてる……？）

臥室から、すすり泣く声が聞こえてきた。絶望に襲われ、さめざめと泣く悲痛な声。

「俺が彼女をさらって手籠めにしたんです！　彼女には何の罪もありません！」

若い男の声。いや、後宮に皇帝以外の男はいない。とすると、宦官だろう。

「彼女は俺のことなんか知りません。力ずくで連れてこられて、辱められただけなんです」

「この者が言っていることは事実なのか、呉貴人」

臥室に入った皇帝が冷淡に尋ねる。緋燕は臥室の前で立ち止まった。

「罪人は俺です、主上。罰するのは俺だけにしてください。彼女は」

「おまえは黙っていろ。余は呉貴人に尋ねている」

冷酷な声音が響くと、すすり泣きが断ち切られるように途絶えた。

「答えよ、呉貴人。この者の話は事実か、否か」

「……事実ではありません」

涙まじりの、今にも消え入りそうな返答だった。

「君はこの者にさらわれて辱めを受けたのではないのだな?」

「……はい」

「違います！　俺が腕ずくで従わせたんだ！　彼女は抵抗して――」

「やめて、士影。そんな嘘でわたくしを貶めないで」

震える言葉が士影という宦官の口を封じた。

「わたくしは辱めなど受けていません」

「では、今夜のことは合意の上だったのか」

「はい」

緋燕は息をのんだ。呉貴人が宦官と私通していたとは。

後宮において、不義密通は大逆に等しい。位階の低い宮女なら皇帝は見逃してくれるだろうが、呉貴人は太皇太后の大姪。皇后候補の不貞は些末事と片付けられない。

事が露見すれば、後宮の勢力図が大きく変わる。朝廷も無関係ではいられない。

「罰は俺が受けます。今ここで斬り捨てられてもかまいません」

士影が崩れ落ちるようにして跪いた。

「どうか、愛晶さま――呉貴人さまをお許しください。俺が軽率だったんです。罪の重さを理解していませんでした。何もかも俺のせいです。俺が呉貴人さまをたぶらかしたんです」

床に頭を打ちつける音がする。何度も何度も、哀願しながら。

「罪を犯したのは俺です。いかような処罰もお受けいたします。ですから、どうか」

「弁明は宮正司にせよ。これ以上、無駄口を叩いて罪状を増やすな」

士影を後宮警吏に引き渡すよう、皇帝は刀太監に命じた。刀太監の部下が士影を連れて臥室から出てきた。まだ十五、六の少年だ。整った顔立ちだが、あどけない印象だった。

「悪いのは俺なんです!!　呉貴人さまは罪など犯していません!!」

半ば引きずられるようにして、士影は連れていかれる。痛ましい訴えが暗がりを貫いた。

「呉貴人には禁足を命じる。自分が犯した罪を省みるがいい」

皇帝が刀太監を従えて臥室から出てくる。提灯に照らし出された龍顔は穏やかだった。

「君も罪人だね、李婉儀。余の命令にそむくとは」

皇帝は緋燕の腰に腕を回した。やわらかな微笑の下には、何かが隠されている。

「お疲れでしょう。今宵は希蓉殿で御寝なさいませ」

「ああ、そうするよ。君のぬくもりに包まれてやすみたいんだ」

たった今見たことには触れず、何事もなかったかのように皇帝に寄り添う。天子の真意ははかりがたい。軽々しく口出しすれば、勘気をこうむってしまう。

(……呉貴人は、あの宦官を本当に想っていらっしゃるのね)

士影が叫んでいたように、呉貴人は「宦官にさらわれて乱暴された」と弁明することもできた。たとえ状況が苦しくても、当座をしのぐ言い訳にはなった。しかし、彼女は「辱められていない」と言ったのだ。それがどれほど罪深い台詞か、知らないわけではないだろうに。


数日後、緋燕は呉貴人が住まう透景閣を訪ねた。

現在の緋燕は妃嬪である。六侍妾の一人にすぎない呉貴人は、妃嬪の訪いを拒否できない。そして、緋燕が人払いをしてほしいと言えば、応じるよりほかないのだった。

「わたくしを嘲笑いに来たのね」

奥まった部屋で二人きりになると、呉貴人は敵意をみなぎらせた目で緋燕を睨んだ。

白粉を塗り重ねてごまかしているが、泣きはらした目元は隠せていない。

「さぞかし痛快でしょうね。あなたは妃嬪、わたくしはじきに浣衣局行き。いいえ、浣衣局ならましなほうだわ。不義密通は大逆も同然だもの。死を賜っても不思議ではない」

呉貴人は自嘲するふうに唇を歪めた。

「ばかな女だと見下しているんでしょ？　至尊の殿方に嫁ぎながら、宦官と通じるなんて。ええ、そうよ。わたくしは愚かだわ。自分でも嫌気がさすくらい」

「今回の件、呉家にはお知らせになったのですか」

「どう知らせるっていうのよ？　宦官と通じていることが主上にばれて窮地に陥ったから、助けてくださいと？　お父さまが愚かな娘を助けてくださるとでも？」

「あなたは太皇太后さまの大姪でいらっしゃる。呉家からなにがしかの援助があるかと」

「うらやましいこと。わたくしのお父さまがどんなに冷酷か、ご存じないようね」

茶菓が置かれた机にもたれ、絹団扇をゆるりと動かす。

「今回の件をお父さまに訴えたら、わたくしのもとにお菓子が送られてくるわ。主上の沙汰が下る前に。一口食べればあの世に行ける、毒入りのお菓子がね。それがお父さまのやり方なの。使えない手駒は、即座に切り捨てる。実の娘だからって情けをかけてはくれないわ」

呉貴人が死ねば、事件はうやむやになり、呉家は追及をまぬかれる。

「太皇太后さまなら、助けてくださるのでは？」

「わたくしに助ける値打ちがあれば、助けてくださるかも。たとえばわたくしが主上の寵妃だったらね。でも、わたくしは一度も召されていない。鳴り物入りで入宮したのに、龍床（りゅうしょう）の明かりすら見たことがないわ。そんな大姪を助けて、太皇太后さまに利益があって？」

太皇太后は、妃嬪時代から政とは距離を置いてきた。慎重な婦人だからこそ、太皇太后という位までのぼりつめたのだ。わざわざ口を出して波風を立てるよりも、静観するだろう。

「主上がどのような沙汰を下されても、わたくしは浣衣局なんか行かないわ。士影は絶対に処刑される。彼が死ねば、わたくしがこの世にとどまる意味はない」

呉貴人は自死するつもりだ。――緋燕の推測通り。

ここ数日、素燕になって後宮と外朝をうろついていた。

今回の件で呉家と太皇太后がどう動くか、予想したかったのだ。呉家当主について官吏や宦官にそれとなく話を聞いたり、太皇太后の過去の言動を調べたりして、どちらも呉貴人を見捨てるだろうという目算が立ったため、緋燕は透景閣を訪ねた。

孤立無援の呉貴人に手を差しのべる好機だと踏んで。

「そう悲観なさらないでください。私が、お役に立てるかもしれません」

「……あなたが？　わたくしを助けてくれるというの？」

呉貴人はいぶかしげに柳眉（りゅうび）をひそめた。

「どうしてそんなことをするのよ？　わたくしをつぶす絶好の機会じゃない」

「あなたが後宮からいなくなれば、呉家は別の令嬢を送りこんできます。新たな呉貴人はあなたよりもずっと手ごわいかもしれない。私にとっては、歓迎できない状況です」

「……ずいぶん呉家の事情に詳しいのね」

それについては何も答えず、緋燕は微笑を返した。

「率直に申しましょう。私はあなたを利用したい」

「今のわたくしに、利用する価値があって？」

「あなたは呉家のご令嬢。呉家は一族の女性を後宮女官として出仕させています。敬事房勤めの方もいらっしゃる。私はその方に頼みごとをしたいんです」

緋燕は厚手の冊子を机に置いた。

「十年前、内監を務めていた宦官の名簿の写しです。記名されている者が現在生存しているか否か、宮中にいるか否か、皇宮に勤めている場合はどの官府に所属しているか、皇宮にいない場合はどこで何をしているか、調べています。幾人かは死亡していることが明らかになりましたが、ほんの一部です。全部ひとりで調べるとすれば、何年もかかってしまうでしょう」

「何の目的でそんなことを調べているのよ？」

「仇敵を探している、とだけ申しておきます」

「この名簿の誰かに恨みがあるの？　だったら、主上にお願いすればいいじゃない。怨敵を始末してくださいって。あなたは寵妃だもの。主上に頼むほうが早いわよ」

「それではだめなんです。仇は、私自身が討たなければ」

皇帝に願い出て怨敵を討ってもらうことは簡単だ。過去の罪を暴いてもらえばいい。

しかし、ここで問題になるのが仇の官位である。下級宦官なら処罰は容易いが、高位の宦官はそうはいかない。高級宦官は外朝の高官に匹敵する存在。彼らは豊富な人脈を持ち、朝廷の重鎮たちと利害で結ばれている。寵妃のわがままで軽々に処罰できる相手ではない。

「協力してくださるなら、私は士影さんの命を保証します」

「主上が士影を許してくださるはずないわ。極刑に処されるに決まっているわよ」

呉貴人はまぶたを閉じた。目尻から真珠のような涙がこぼれ落ちる。

「どうせなら、一緒に処刑されたい。士影が苦しみを味わうなら、わたくしも……」

「主上は即位なさったばかりです。にもかかわらず、侍妾が宦官と不貞を働いた。事が公になれば、公衆の面前で宦官を八つ裂きにしなければならない。処刑場には民が集まります。今回の顛末を知って、民は何を思うでしょうか。崇成帝はさっそく側女を寝取られたと嘲笑うのでは？　あるいは極刑に処された宦官の亡骸を見て、虐政の兆しと怯えるのでは？」

――天子は民に侮られてはならない。天子は民に禍を予感させてはならない。

「主上は本件を内々に片づけたいはずです。その証拠に、透景閣は後宮警吏によって封鎖されていません。呉貴人が禁足なさっていることは、誰も知らないんです」

皇帝は呉貴人に禁足を命じる旨を勅書にしたためていない。本件を規則通りに裁くつもりなら、透景閣は後宮警吏によって封鎖されており、緋燕が入ることもできなかっただろう。

「……まさか、士影はもう……」

呉貴人が青ざめた。かたかたと震える手で口元を覆う。

「宮正司に赴いて確認してきました。士影さんは投獄されているだけです」

今のところは、と言い添えた。生殺与奪の権限は、皇帝の掌中にある。

「……士影を助けられる見込みがあるの……？」

「主上はすでにその可能性を考えていらっしゃいます」

昨夜の寝物語で確信した。

『呉家と栄家がまた朝廷を騒がせているよ。今回は栄家が余の意にかなっているが、下手に味方すると連中がつけ上がる。栄家の力を借りず、呉家の頭をおさえる好手はないものかな』

何か名案はないかと問われ、緋燕は微笑した。

『女の私に政は分かりません。献策はしかるべき御方からお受けなさいませ』

皇帝は緋燕が口出しするかどうか試していたのだと思う。ゆえに、献言は控えた。

「主上が士影さんを助けてくださるか否かは、呉貴人しだいです。この道を選べば、士影さんとは少なくとも五、六年会えません。書簡のやり取りも控えていただくことになるかと」

「……書簡なんてどうせ送れないわ。士影は字が読めないのよ」

士影は呉家の下級使用人だった。貴族や富豪の邸で働く使用人の大半は、奴婢である。士影も曽祖父の代から呉家に仕える奴婢一家に生まれた。彼らは曲芸に長けており、邸で催される宴の席で派手な見世物を披露することを生業としていた。

「呉家の邸には掃いて捨てるほど奴婢がいるの。士影なんて目にもとまらなかったわ。お父さまによく言い聞かせられていたから。『奴婢はしゃべる家畜。人ではない』って」

十二の頃、呉氏は中元節の宴で舞を披露した。

「正直言って、手抜きだったわ。毎年やらされている演目で、とっくに飽きていたの。わたくしが手を抜いていたのを、お父さまは見逃さなかった」

呉家当主は激憤をあらわにして呉氏を怒鳴りつけた。

『皇太子さまに献上するために育ててやっているんだ‼　見苦しい舞で父の顔をつぶすな‼』

当時、皇太子だった高遊宵に嫁ぐため、呉氏はお妃教育をほどこされていた。

「わたくし、舞が大っ嫌いなの。舞を教えていたのが、お父さまの情婦だったから」

呉氏の生母は早くに亡くなっている。

「あの女に舞なんか習いたくないって言ったら、ますます怒鳴られて殴られたわ。お父さまはわたくしより情婦のほうが大事なのねって、頭にきたの。だから家出することにした」

都大路の喧騒は、深窓の令嬢を別世界へといざなった。

「目に映るものすべてが珍しくて、夢中になって歩き回っていたら、おぞましい力で腕をつかまれて物陰に引きずりこまれた。怪物みたいな大男だったわ。叫び声をあげたかったけど、恐ろしすぎて悲鳴も出なくて……。震えることしかできなかったわ」

「士影さんが助けてくれたんですか？」

「ええ、そう。わたくしのあとをつけてきたんですって。士影は大男の眉間に小石を命中させて、思いっきり脛を蹴りつけて、近くの川に突き落としたの。大男がずぶ濡れになって追いかけてきたけど、わたくしたちは通りかかった荷馬車に飛び乗って逃げおおせたわ」

「大冒険でしたね」

「人生最高の冒険よ。士影が都大路を案内してくれたの。大きな包子を二人で食べて、綺麗な飴細工を眺めて、芝居小屋に忍びこんで、道観の花蝋燭を見にいったわ」

呉氏は士影に説得されて帰った。邸ではお嬢さまがいなくなったと大騒ぎになっていた。

『俺がお嬢さまを外に連れ出しました』

士影は嘘をついた。呉氏を父親の勘気から守ろうとして。

「わたくしは自分の考えで家出したんだと言うべきだった。でも、言えなかった。本当のことを話したら、またお父さまに怒鳴られる。だから……嘘をついたわ」

呉氏は士影に無理やり連れていかれたと泣きながら訴えた。結果、士影は全身あざだらけになるまで打擲された。呉家当主は激怒し、士影を処分すると言い渡した。

「士影の両親が必死で助命を嘆願した。二人の懇願には胸がつまったけど、お父さまの心を動かしたのはあの女——わたくしの舞の師匠よ。あの女は士影の曲芸を気に入っていたから」

情婦の一言で士影は生きながらえる。呉氏は父親の目を盗んで士影に会いにいった。

「奴婢に恋をするなんて、どうかしてるわ。相手は人じゃない。しゃべる家畜よ？　……なのに……好きになってしまった。入宮するのが、いやになるくらいに」

呉氏が十五になると、いよいよ入宮が現実味を帯びてきた。邸は嫁入り支度に浮かれていたが、呉氏は日に日に憂鬱になっていった。

「入宮したら、二度と士影に会えなくなる。そんなの、絶対に耐えられない。わたくしは士影と駆け落ちすることにした。決意しただけじゃないの。庶民の生活がどういうものなのか、人に聞いたり、書物を読んだりして学んだし、持ち物を少しずつ金子にかえて貯めておいた。士影の妻として暮らすため、自分なりに備えていたつもりだった」

この頃、士影の両親は他界していた。駆け落ちするのに、後顧の憂いはないはずだった。

だが、当の士影が断った。

『結婚の約束をしている良民の娘がいるんです』

士影は街で出会った旅芸人の娘と結婚する予定だと言った。

『良民の身分を買って、彼女の故郷に行こうと思っています』

金子さえ支払えば、奴婢は自分自身を買い取り、良民になることができる。

ただし、奴婢上がりの良民は先祖代々続く良民から侮蔑され、冷遇される。身分を買っても人間扱いされないため、一生奴婢のままでいる者のほうがはるかに多い。

しかし、奴婢は家畜と同じ扱いだ。主人から解放されて自由になるには、また良民と結婚するには、身分を買う必要がある。

「結婚なんて、嘘だったんですね」

「嘘八百よ。恋人がいるって言うから、わたくしは何日も泣いたのに……」

宦官になって後宮入りするため、士影は呉家を去ったのだ。

「再会したのは、あなたが妃嬪に冊立されたときよ。むしゃくしゃしていたから、透景閣を出て散歩に行ったわ。園林の花を見ていると、心が休まるどころか怒りがこみあげてきた」

そこは園林の外れ。皇帝は足を踏み入れない場所。

「こんなところで咲いてどうするの？　主上に見てもらえなければ、値打ちなんかないのに。咲いて色褪せて、散っていくだけ。腹が立ってしょうがなくて花を引きちぎったわ」

花の棘が白魚のような手に無数の傷をつけた。

『ご自身を傷つけないでください』

花の手入れをしに来た下級宦官が呉貴人を諌めた。端整だけれど、わずかにあどけなさを残した顔立ちの年若い宦官。彼こそが――二年前に呉家を去った士影だった。

『なんであなたが後宮にいるのよ⁉　旅芸人の娘と結婚したんじゃなかったの⁉　どうして宦官の、恰好なんかして……』

呉貴人は両手で顔を覆った。

『本当はあなたをさらって逃げたかった。でも、俺は奴婢でした。俺の妻になれば、あなたも奴婢として蔑まれる。あなたを奴婢にすることだけは、絶対にいやだった』

宦官になれば、後宮に入れる。皇帝の寵愛を受けて幸せに暮らすであろう呉氏を垣間見ることがあるかもしれない。その一瞬を求めて宦官になったのだと、士影は語った。

『ばかじゃない⁉　そんなことのために、どれだけの代償を支払ったか分かってるの⁉』

『十分に値打ちはありました。あなたに——また会えたから』

やがて二人は逢瀬を重ねるようになる。

「奴婢だった頃の士影を好きになったのよ。宦官になったからって、嫌いになれると思う？」

最初は会って話をするだけだった。しだいに、それ以上が欲しくなった。

「わたくしのために、士影は宦官になってくれた。わたくしも士影にこの気持ちを示したかった。だけど、あげられるものがなかったの。衣服も装身具も金子も、お父さまや主上からいただいたものだから。わたくしが士影にあげられるのは、わたくし自身しかなかった」

臥室に誘ったのは呉貴人だ。恐縮する士影を口説き落とすのに苦労したという。

「お父さまに知られたら殺されるわね。娼妓を育てた覚えはないって、殴り殺されそう」

「今のお話は呉家には知らせません。そんなことをしても、私には利益がありませんから」

「利益がない……ね。下手な慰めより心にしみる言葉だわ」

呉貴人は袖口で目元を拭った。

「わたくしは罪を犯した。万死に値する重罪を。だけどね、あの日……春睡閣で主上に詰問されたとき、嘘をつかなかったことだけは正しかったと思っているわ」

「士影さんは、あなたに嘘をついてほしかったかもしれませんね」

「呆れるほど嘘つきだからね。でも、わたくしは嘘が嫌い。嘘で自分を守っても、何も残らないわ。心を焼き尽くすような、虚しさ以外は……何も」

しばし黙る。緋燕は待っていた。彼女の決意なくして、前進はできない。

「士影を守る道があると言ったわね？　詳しく教えなさい」

緋燕が説明すると、呉貴人はぎゅっと目を閉じた。

「……わたくしにも代償を支払えというのね。士影がそうしたように」

「主上が懸念なさっていることは、あなたが皇子を産むことです。呉一族の娘が皇子を産めば、呉家はいっそう勢力を増す。だから皇后候補のあなたを龍床にお召しにならなかった」

「逆に言えば、わたくしが身籠りさえしなければ、生かしておいてくださるということ……」

「よくお考えになってください。私の提案は、あなたにとって諸刃の剣です。士影さんを救う代わりに、あなた自身の退路を断つことになります」

「退路？　今だってないわよ、そんなもの」

呉貴人は目を開けた。勝気な瞳で緋燕を見据える。

「士影を助けることができるなら、喜んで代償を支払うわ」

「苦しいですよ。最低でも一月(ひとつき)は床から離れられないでしょう。最初の十日が過ぎたら、途中でやめても元通りにはなりません。その覚悟がありますか」

「あるわ。士影の子を身籠(みごも)ることができないなら、この体に未練はない」

呉貴人がこちらに手を差しのべた。

「約束してちょうだい。わたくしが代償を支払い終えるまで、士影には事実を伏せていてほしいの。士影が知ったら、きっとわたくしを止めようとする。そのために自害するかもしれない。彼を喪(うしな)いたくないから毒を飲むのよ。士影を亡くしたら、何の意味もないわ」

「主上に申し上げておきます。あなたの決断を打ち明けるのは、あなたの役目だと」

緋燕は彼女の手を握った。呉貴人が強く握り返してくる。

終わらせることは容易い。二人して死を選んでしまえば、楽になれただろう。少なくとも、この先の苦難を味わわずに済むのだから。けれど、呉貴人はここで終わらせることを選ばない。大きな代償を支払って、自ら退路を断ってでも、恋しい人と生きようとしている。

彼女の決意に、皇帝は恩情を示してくれる。緋燕はそう信じていた。

「敬事房の女官に名簿を調べさせるのはかまわないけど、口実がいるわ。急に宦官の名簿なんか出したら怪しまれてしまう。わたくしの失態をかぎつけられてしまうかも」

呉貴人は机上に置かれた冊子を手に取った。

「その女官にはご夫君がいますね？」

「わたくしより二十は年上だもの。当然、結婚してるわ。夫は内閣大学士よ。いつまでも新婚みたいなおしどり夫婦なの。夫のほうがべた惚れでね。妻を猫可愛がりしてるわ」

「その女官、さる武官と恋仲ですよ。ご夫君は気づいていらっしゃいませんが」

「……どこでそういう脅迫のネタを仕入れてくるのよ？」

「風の噂です。人の口に戸は立てられぬと申しますので」

緋燕がにっこりすると、呉貴人は絹団扇の陰で長々と溜息をついた。

「わたくしが犯した一番愚かな罪は、あなたを味方にしなかったことね」

「今からでも遅くありません。呉貴人とは趣味も合いそうですし、お友達になりましょう」

「言っておくけど、あなたと合う趣味なんかないわよ」

「え？　でも、格致（科学）にご興味がおありでしょう？　冷光塗料もご存じだったし」

「あれは女官から聞いたのよ。牡蠣のしずくで光る絵具を作れるって」

光る絵具で描いた絵は、幽霊のように暗闇に浮かび上がると、その女官が言ったらしい。

「透景閣の女官ですか？　ぜひお知り合いになりたいわ」

「悪いけど、知り合いにはなれないわよ。その女官、わたくしの遣いで呉家に向かう途中、暴漢に殺されたの。怖いわね。都の治安はいいほうだけど……」

呉貴人に知恵をつけた女官は死んだ。まるで役目を終えたみたいに。

（……誰かが、呉貴人を陥れようとした？　それにしては、回りくどいやり方ね）

呉貴人を破滅させたいなら、彼女と士影が私通していることを宮正司に密告すればいい。宮正司は二人を監視し、密会現場に踏みこんだだろう。わざわざ冷光塗料の作り方を教えて、幽霊騒ぎを起こさせる必要はない。では、女官の死と呉貴人の密通は無関係なのか。

なんとなく釈然としないまま、緋燕は透景閣をあとにした。

「主上、そろそろご休憩のお時間です」

駿奇に声をかけられ、遊宵は朱筆を置いた。仁啓帝が丞相府を廃止してからというもの、丞相が行っていた政務も皇帝が担うことになった。上奏文の山は決裁しても決裁しても減らない。不毛な作業に疲れ、遊宵は龍椅の背にもたれた。

（……呉貴人も面倒なことをしてくれたな）

呉貴人は権門・呉家の娘で太皇太后の大姪。本件を公で裁けば、朝廷は嵐に見舞われる。喜ぶのは栄家だ。ここぞとばかりに呉家を糾弾し、呉一族の官吏たちを蹴落として、空いた席を栄家出身の官吏で埋めてしまうだろう。栄家が今以上に朝廷で存在感を示すようになれば、遊宵は四六時中、彼らの顔色をうかがわなければならなくなる。

よき朝廷には均衡というものがある。呉家と栄家は拮抗しているくらいでちょうどいい。臣下たちは、適度に争わせておかなければならない。競う相手がいなくなれば、臣下は皇帝気取りで朝廷を牛耳る。そしていつかは、玉座を目指すようになるのだ。

（あの下級宦官は始末するしかないが）

栄家を勢いづかせないために、公では裁かない。内々に下級宦官を処分して、事件自体をなかったことにするしかなさそうだ。もっとも、下級宦官を生かして利用するという道もあるにはあるのだが、呉貴人がどこまで秘密を守れるか分からないので、二の足を踏む。

（呉貴人が自害でもしたら、また厄介だな）

下級宦官を始末すれば、呉貴人が動揺するだろう。ひっそりと死ぬならまだしも、やけを起こして透景閣に火を放ったりしたら大事だ。栄家は不審がり、事件を嗅ぎまわる。

かといって、下級宦官を解放するわけにはいかない。彼は幼い頃から呉貴人を慕っており、彼女の姿を垣間見るために宦官になったという。それほど恋情が強いなら、必ず過ちを繰り返す。次回の密会現場に踏みこむのが誰であれ、醜聞が知れ渡るのは、時間の問題だ。

実に頭の痛い一件である。遊宵は溜息をついて、目を閉じた。

「主上。李婉儀さまより、文が届いております」

駿奇が恭しく文を差し出した。遊宵は文にさっと目を通す。

「恋文ですか？」

「あの李婉儀が恋文なんか寄越すわけないだろう。そっけなく用件が書いてあるだけだよ」

今宵、黄昏園でお待ちしています。用件はそれだけだ。

「初更ごろ行くと伝えてくれ。ああ、待て。返信を書こう」

金箔がきらめく料紙を広げて、遊宵は筆先をさらさらと滑らせた。


髪は高椎髻に結いなさい。余が君の首筋に口づけしやすいように。


高椎髻は頭頂に高い髻を作る髪型だ。髪をすべて結い上げるので、うなじがあらわになる。

「蓮の髪飾りを用意していただろう。あれを持たせなさい」

「白翡翠を削り出した白蓮の髪飾りですね。李婉儀さまの黒髪に映えるでしょう」

「琥珀の耳飾りもだ。きっと似合う。それから、扇形の簪を二本。蛍石の首飾りと――」

「主上。一度にたくさんお贈りになっては、李婉儀さまはお受け取りにならないかと」

駁奇が苦笑する。栄太后の菓子をすげなく突き返されたことを思い出した。

「じゃあ、髪飾りだけでいいよ。ああ、そうだ。例のものを持たせないと……いや。あれは余から直接渡そう。そのほうがいい。喜ぶ李婉儀の顔を見られる」

いつの間にか、李婉儀に会うのが楽しみになっている。

李婉儀が素燕になって後宮と外朝を歩き回っていることは、密偵から報告を受けている。呉貴人とも接触したようだ。何か企んでいるのは間違いないが、あえて詰問はしなかった。

(俺に言わせれば、李婉儀のほうが水銀みたいだ)

あの静かな美しさの中に秘めてられているものを、今夜こそは暴くことができるだろうか。

黄昏園の門前で、遊宵は李婉儀に出迎えられた。

「蓮花花神みたいだね、李婉儀」

淡い紅の蓮が咲き乱れる大袖衫（袖の広い単衣）、孔雀羽糸の縫い取りがきらめく菫色の裙。繻子織の帯は胸のすぐ下で結ばれ、腕にかけた青緑の披帛は雪代のように足元に流れ落ちている。高椎髻に結われた黒髪は、瑠璃を連ねた金歩揺と白翡翠の蓮で飾られていた。

「美しい髪飾りのせいでしょう」

李婉儀は慎ましく睫毛を伏せた。提灯の光が細面をしっとりと照らし出す。

「黄昏園といえば、曲水の宴を思い出すよ。あの日の君は、とても愉快だった」

三月三日、黄昏園で曲水の宴が行われた。曲水の宴では、曲がりくねった小川を流れる酒杯が自分の前を通り過ぎる前に、詩を詠まなければならない。詠めなければ罰杯を飲むことになる。詩が苦手だという李婉儀は、見事なまでに酔っぱらっていた。

どうやら彼女は笑い上戸らしい。絹団扇の陰でしきりに肩を揺らしているので、寒いのかと思って上衣を下賜したところ、突如として笑い転げた。宴席は凍りつき、蘇貴人を始めとした栄貴人の取り巻きたちが「なぜ笑うのか」と李婉儀を問いつめた。

『だっておかしいんです。主上の冠に、白いもわもわが……』

李婉儀はころころと笑った。近くの柳から飛んできた柳絮（柳の綿毛）が遊宵の冠にくっついていたのだ。慌てて駿奇が柳絮を取ろうとしたが、遊宵は断った。

『珍しく李婉儀が笑っているんだ。そのままにしておきなさい』

宴の間中、李婉儀は鈴を鳴らすような声で笑い続けていた。しまいには遊宵もつられて笑いだし、主君の上機嫌がうつった宦官たちや女官たちも肩を震わせて笑った。

「曲水の宴での非礼は、一日も早くお忘れください……」

「忘れられないな。君のおかげで、楽しい宴になったよ」

李婉儀の手を取り、黄昏園に入る。薄曇りの夜空には頼りなげな半月が浮かんでいた。

「今宵は、お見せしたいものがあってお招きいたしました」

李婉儀は「あちらをご覧ください」と暗がりを指し示した。

そちらには曲水がある。薄闇の向こうでぽつぽつと明かりが灯った。ぼうっと青く光る蝶だった。ゆらゆらと揺らめきながら、一、二、三、四と、徐々に増えていく。

「弱藍蝶かい？」

前王朝の後宮に弱藍という侍妾がいた。その頃は宮女がけた外れに多かったので、十五で入宮して十年、一度も皇帝に召されなかった。ある春の夜、弱藍は曲水のほとりで、麗しい青年と出会う。豪奢な龍衣に身を包んだ彼こそ、当代の天子だった。弱藍は皇帝に見初められたが、皇帝は寵妃を訪ねる予定だったので、明日またここで会う約束をした。

翌日の夕べ、弱藍はめかしこんで曲水に行った。

胸をときめかせながら皇帝を待っていたが、待ち人は現れなかった。次の日も、さらに次の日も、弱藍は曲水に出かけた。一日も欠かさず通い続けたのに、皇帝は現れなかった。

一年、二年、三年……十年、二十年、三十年——気づけば、四十年経っていた。

あるとき、今を時めく年若い寵妃が弱藍の話を聞きつけた。寵妃は面白がって、「曲水のところに美しい宮女がいるのを見ました」と皇帝に耳打ちした。好色家の皇帝はいそいそと出かけていく。だが、曲水のほとりにいたのは、白髪頭(しらがあたま)の老女である。

『余の後宮に老婆は不要だ』

皇帝は弱藍に退宮を命じた。五十年間、後宮に仕えていた弱藍に、行く当てなど、あるはずもない。両親や兄弟姉妹は鬼籍(きせき)に入り、親族は離散し、弱藍は年老いていた。

弱藍が後宮を去った翌年から、長雨が続いた。皇帝は天を祀(まつ)って太陽を乞(こ)うたが、雨はやまない。困り果てて高名な女道士を招くと、女道士は雨音から女の泣き声を聞いた。

「水害を引き起こしているのは、主上に打ち捨てられ、非業(ひごう)の死を遂(と)げた哀れな宮女の怨霊(おんりょう)です。手厚く供養してやれば、水害はおさまるでしょう」

女道士の助言通り、皇帝は弱藍を手厚く供養する。七日七晩の供養が終わると、幾年も降り続いた雨はやみ、空に日輪(にちりん)が戻ってきた。

時を同じくして、後宮では曲水のほとりで不思議な蝶が目撃された。夜になると、青い蝶がひらひらと暗がりを舞うのだ。誰かを待っているかのように。

いつしか、それは弱藍蝶と呼ばれるようになった。王朝が代替わりした今でも、曲水のほとりには弱藍蝶が現われるといわれている。天寵に浴することなく死んだ不運な宮女たちが胡蝶に姿を変えて、夜陰をさまようのだと。

「いや、違うな。例の光る絵具を使った走馬灯だね」

蝶がぼうっと光っているのは、牡蠣のしずくから作る冷光塗料で描いた模様だから。ひらひらと舞っているように見えるのは、燭火の熱で走馬灯が回っているからだ。

目をこらすと、それぞれの走馬灯には支柱がついているのに気づいた。暗がりに控えていた宦官たちが李婉儀の合図で火を灯したのだろう。青い蝶がひらりひらりと舞い始めるや否や、各走馬灯から、ほのかな人影がすっと離れた。

「もっと近くでご覧になりませんか。水面に映った火影がとても綺麗なんです」

李婉儀に促されて、遊宵は曲水に歩み寄った。いくつもの火影が水面に映り、緩やかな流れと戯れている。さながら星の小川だ。しばし、言葉を忘れて見惚れる。

「走馬灯そのものより、水面に映る火影のほうが美しいな」

「そうですか?」

「触れられないからね。手でつかめないものは、いっそう美しく輝く。月や星の光も、雅やかな音楽も、詩情豊かな文章も。古の悲恋も、またしかりだ」

李婉儀がなぜ弱藍蝶を見せたのか、察しはついている。

（呉貴人を哀れんでいるんだろうな）

天子をひたむきに慕いながら最期まで寵愛を得られなかった弱藍は、紅涙をしぼる宮女たちを象徴する存在だ。そして、呉貴人を思い起こさせる女人でもある。

呉貴人と栄貴人。本来ならどちらかを皇后に据え、貴妃に据えるところだ。しかし、両家は朝廷を牛耳るほどに権勢をふるっている。これ以上、彼らに力を持たせてはいけない。

呉貴人は決して寵愛されない。なれど、彼女の夫は生涯、遊宵ただひとり。たとえ毎晩ひとり寝を強いられていても、密通を犯せば、重罰を受けることになる。

（不憫ではあるが……恋人の下級宦官は、生かしておけない）

呉貴人の罰は免じても、下級宦官は秘密裏に処分しなければならない。何とかして、呉貴人が捨て鉢にならないように、騒動を起こさないように、できないものか……。

「主上に拝謁いたします」

突然、小柄な宦官が遊宵の足元に跪いた。

「無礼者め。主上の御前を遮るとは――」

「待て」

闖入者を追い払おうとした駿奇を止める。宦官の声音に聞き覚えがあった。

「面を上げよ」

小柄な宦官が顔を上げる。とたん、遊宵は目を見開いた。

「呉貴人……？　いったい、そんな恰好で何を……」

「主上にお願い申し上げたいことがあり、無礼を承知でまいりました」

宦官の衣服に身を包んだ呉貴人は、凛とした声音で言った。

「恋人の助命を嘆願に来たのか。非情なようだが、彼は処分するしか――」

「利用してくださいませ、主上。わたくしと士影を」

呉貴人は怯みもせずに遊宵を振り仰ぐ。

「主上は呉家をおとなしくさせる手札を欲しがっていらっしゃる。ならば、わたくしたちの不義を利用なさいませ。よき切り札となりましょう」

「ならないから困っているんだよ。君たちの道ならぬ恋を手札に呉家を脅せば、呉家は君を始末する。不要な手駒は誰であろうと切り捨てるのが呉家のやり方だ」

「わたくしの暗殺を防ぐためには、わたくしを妃嬪になさればよいのです。妃嬪に冊封される際、それまでの使用人を一掃することがあります。わたくしの身の回りから呉家ゆかりの者を退け、主上に忠実な部下を配置し、わたくしを監視なさいませ」

思い切った策だね、と遊宵は微苦笑した。

「君の恋人はどうするんだい？　その使用人の中に含めると？」

「のちのちはそうなりましょう。けれど、今のままではだめです。士影には学がありません。

内書堂で学問を身につけてから、わたくし付きの宦官にするのです」

史書を読み解き、道理を解すれば、恋情を抑える方法も身につけるだろう。出世すれば失うものも多くなる。保身の術を学んでくれれば、無茶なことはしなくなるはずだ。

「なるほど。あえて君たちを引き離さず、そばに置くわけだ。不義密通を働きやすいように」

遊宵の部下が不貞の記録をつける。呉氏が生きている限り、それは呉家を縛る枷となる。

ここまでは、遊宵も考えたことだ。

「悪くない献策だけれどね、ずいぶん君に都合がいいようだ。君は進御して妃嬪になり、余の寵を受けながら、恋人との逢瀬を楽しむ。あわよくば、皇子を産もうという算段かな?」

呉氏が身籠ったら懸念が増える。懐妊するたびに子を流させるか、生まれた皇子を内々に始末するか。仮に夜伽を一切させなかったとしても、安心はできない。過去には、君王に媚薬を盛って身籠った宮女もいる。呉氏が同じことをしないという確証はない。

「いいえ。わたくしは、主上のご寵愛を望みません」

「進御せずに、妃嬪にはなれないよ」

「進御はいたします。でも、身籠りません」

呉貴人の口調には、確かな意志が感じられた。

「わたくしは、宮刑を受けます」

傍らで駭奇が息をのむ気配がした。遊宵も愕然として呉貴人を見下ろす。

「君は……自分が何を言っているのか、分かっているのかい」

「十分に考えた末に出した結論です。わたくしが宮刑を受けて身籠らない体になれば、主上はわたくしに利用価値を見出してくださるはず。后妃侍妾に同姓なし――後宮の規則がそう定めています。わたくしが生きている限り、呉家は呉一族の娘を新たに入宮させることができません。呉家出身の宮女が皇子を産む恐れはなくなり、主上のご懸念は栄家のみになるかと」

宮刑は本来、不義密通を犯した男女に課せられる刑罰だ。男子の場合は去勢し、女子の場合は劇薬で子を孕む道を閉ざす。いずれも死の危険を伴うもので、命を落とす者もいる。

「そうまでして、士影という宦官を守りたいのか」

「士影は後宮でわたくしに会うためだけに宦官になりました。わたくしも同じことをしたいのです。士影のそばで生きるためなら、この体を捨てることにためらいはしません」

（……呉貴人は、こんなに意志の強い娘だったのか）

甘やかされて育った高慢な令嬢とばかり思っていた。密通を暴かれたことに打ちひしがれ、透景閣で泣き濡れているのだろうと。恋人を殺されれば、やけを起こすに違いないと。しかし、違った。呉貴人は女丈夫だ。自ら危険を冒して、遊宵に直談判をしに来るほどに。

（李婉儀が一枚かんでいるな）

呉貴人ひとりで、これだけの策を考えたはずはない。また、宦官に変装して李婉儀の使用人にもぐりこむというのも、深窓育ちの呉貴人には思いつかないことだろう。

「どう思う、李婉儀。呉貴人の願いを聞き入れるべきだろうか？」

素知らぬふりをして尋ねると、李婉儀は涼しげな瞳で水面の火影を見やった。

「呉貴人の嘆願は、後宮だけでなく、朝廷にもかかわりがあるようです。浅学菲才の私に、政の是非は分かりません。お尋ねになっても、詮無いことです」

ぬけぬけとよく言う。呉貴人の口を借りて、遊宵を悩ませる難題に答えを示したくせに。

「ただ、呉貴人をここまで追いつめたのは私なのだと思うと、胸が痛みます。分不相応にも、私などが過分なご寵愛を賜っているせいで、貴人たちは空閨で泣き濡れる日々。呉貴人はきっと寂しさゆえに過ちを犯してしまったのでしょう」

李婉儀は如才ない所作で跪いた。

「宮女たちは姉妹のように仲睦まじく暮らさなければなりません。にもかかわらず、私は呉貴人を寂しさゆえの罪に駆り立ててしまいました。伏してお詫び申し上げます」

殊勝にひれ伏した李婉儀を見ていると、口元に小気味よい笑みが浮かんだ。

（呉貴人には利を説かせ、自分は情に訴えるか）

今回の件は折貴人と背少監の件と違って、朝廷にも影響が及ぶ。情だけでは動けない。

だからこそ、呉貴人自らに利を説かせた。宮刑を受ける覚悟があると彼女の口から言わせ、手駒としての呉貴人の価値を示した。

（たいした女だ。皇后にすら値する）

後宮の女主人たる皇后は、妃嬪侍妾ら、三千人の宮女を統率しなければならない。後宮と朝廷が密接に影響し合っている以上、政道を解する婦人が皇后の位にのぼるべきだ。

昨今、凱の後宮では、皇子を産んだ妃嬪から皇后を選ぶ仕組みになっている。

李婉儀が皇子を産んだなら、国母にしてやってもいい。素直にそう思った。

「後悔しないかい」

「この身が味わう苦痛を思えば、恐ろしさで足がすくみますわ。けれど、宮刑を受ければ士影と同じ体になることができます。それを、何よりも嬉しく存じますの」

呉貴人はわずかに頬を緩めた。

「たとえ今世では夫婦と名乗れなくても、互いの魂が結ばれていれば、来世では別の形でめぐり会って夫婦の契りを交わすはず。わたくしは、そのように信じています」

彼女の覚悟は固い。決して覆りはしないだろう。

「それでは、勅命を下そう。――呉貴人を宮刑に処し、のちに妃嬪とする。下級宦官・士影には内書堂にて勉学に励むことを命じる。ともに余の手駒となり、後宮で生きよ」

「皇恩に衷心より御礼申し上げます」

「余を裏切らない限り、両名の命と名誉を保証しよう。ただし、忘れるな。余は二度も恩情をかけない。一度でも裏切れば、みじめな末路が待っているぞ」

この身が朽ちるまで主上に忠節を尽くします、と呉貴人は地面に額を押しつけた。

「さて、呉貴人の件は片づいた。次は李婉儀だ」

「主上。この件に関して、李婉儀さまに罪はありませんわ。すべての咎はわたくしに」

「いや、李婉儀にも責任の一端はある。当人がそう言っているんだからね」

遊宵は呉貴人に下がるよう命じた。呉貴人は気づかわしげに李婉儀を見て、拝辞する。

「君はとんだ毒婦だな、李婉儀」

ひれ伏した李婉儀のそばに片膝をつく。

「その美貌に秘めた毒牙で、余の寝首を掻くつもりではないだろうね？」

「私は過分な寵恩をいただいている身です。主上に感謝こそすれ、恨みなど抱きません」

李婉儀が顔を上げた。静穏な瞳に走馬灯の明かりが映る。

「信用できないね。君は忌々しいほど賢しらだ。余は騙されているのかもしれない」

「私ごときに騙されているようでは、主上の君主としての器は粗末なものかと」

「言ってくれるじゃないか。余を怒らせたいのかい」

「明君は忠臣の諫言しかお聞きになりません。女の戯言など聞き流してしまわれます」

当意即妙の切り返し。不思議な高揚が遊宵の胸を満たす。

「屁理屈を弄しても無駄だよ。君には罰を与えないと」

李婉儀の手を取って立ち上がらせる。彼女の左手には金の指輪が光っていた。

「余は運に見放されているな。今夜、君を罰することができないとは」

「後宮の規則ですから。金の指輪をつけた后妃侍妾は、進御できません。なれど、後宮に美人は大勢おります。私は今宵お仕えできませんが、主上の御心にかなう方が……」

李婉儀の唇を奪って、続きを封じこめた。

「君がいいんだよ、李婉儀。他の誰かなど、欲しくない」

美しい女ならごまんといる。可愛い女なら掃いて捨てるほどいる。

けれど、李婉儀ほど謎めいた女はいない。

静かな微笑の裏に何を隠しているのか、やわらかな胸の奥に何を秘めているのか、慎み深い瞳にいったい何が映っているのか——暴きたくてたまらなくなる。

「添い寝だけならいいだろう。君の帯はほどかないと約束する」

「……夜着の上から体に触れないでくださいね？」

「抱き寄せて眠るのもだめかな。君の首筋に顔をうずめて——こんなふうに」

李婉儀の首筋に唇を寄せる。口づけすると、陶器のような柔肌が色づいた。

「やはり……規則は守らなければなりません。今宵の伽は謹んで拝辞いたします」

「そうかい。じゃあ、お楽しみはおあずけだな」

遊宵は李婉儀から離れ、駿奇に持たせていた古めかしい冊子を受け取った。

「外朝の書庫を探し回ってようやく見つけたんだけどね。残念だな」

「こっ、これはまさか……『幻西機巧図録』の原典!?」

　李婉儀が冊子をつかみ取ろうとする。遊宵はひょいと避けた。

「西域語の詞典（辞典）も持ってきたよ。君と二人で『幻西機巧図録』の原典を読み解こうと思ってね。まあ、急ぐことでもない。次の機会にしよう。では、そろそろお暇するよ。今夜はひとりでゆっくりおやすみ。余にわずらわされることなく、ぐっすりとね」

　ひらりと踵を返そうとしたとき、李婉儀に龍衣の袖をつかまれた。

「……主上」

「可愛い目で見つめてもだめだよ。添い寝を許してくれないなら、原典もなしだ」

「……本当に本当に、添い寝だけですね？」

「当たり前じゃないか。君の体に無理を強いるつもりはないよ」

「……信じられません。主上は淫虐でいらっしゃるから」

　李婉儀が恥ずかしそうに目を伏せる。弱藍蝶の光が白い首筋を艶めかしく撫でていた。

「降参だ。今日は諦めよう」

「……原典は？」

「君にあげるよ。これは第一巻だ。西域語の詞典は、重いから因内監に持たせよう」

「ありがとうございます、主上」

　李婉儀は『幻西機巧図録』の原典を受け取った。蓮がほころぶような笑顔を見せる。

「妬けるな。異国の書物のほうが君に愛されているようだ」

「主上は私のために『幻西機巧図録』の原典を探してくださいました。感謝しています」

感謝か、と遊宵はつぶやいた。何かが足りない。欲しいのは、それじゃない。

（……愛していると言ってほしいのか？）

ばかな。遊宵が恋心を捧げたのは、偽りの異母姉・鳳姫ただひとり。他の女人に心移りするはずがない。心はとうに死んでいるのだ。異国の王に鳳姫を奪われたときから、ずっと。

『いつか必ず、目覚めるときが来る』

心は死にはしないと言ったのは、無上皇となった祖父だ。長い眠りについた心も、いつか再び滾り出すから、そのときを待てと祖父は話していた。

「本当にありがとうございます。とてもとても嬉しいです」

幸せそうに微笑む李婉儀を見ていると、胸の奥で何かが音を立てて脈打った。

（君の心は、誰のものだ？）

それが手でつかめるのなら、今ここで奪ってしまいたい。金の檻に押しこんで、厳重に鍵をかけてしまいたい。誰からも隠してしまいたい。他ならぬ彼女自身からも。

どこへも行けないように。あるいは――いつまでも、遊宵のものであるように。

呉貴人の宮刑が始まってから毎日、緋燕は素燕の扮装で透景閣に通い続けた。

腹痛に苦しんだ。雀頭香は婦人病に効く香料なので、調香して臥室に焚いていた。

「顔色が少しよくなりましたね」

「あなたが調香してくれた雀頭香のおかげよ。だいぶ気分がいいわ」

呉貴人は牀榻に半身を起こした。やや痩せたようだが、血色はよい。呉貴人は高熱と吐き気、激しい子を孕む道を閉ざす劇薬が投与され始めてから十日と一日。

「士影の様子はどう？」

「内書堂で手習いを頑張っていますよ。まだ書物を読める段階ではありませんが」

「きっとすぐに読めるようになるわ。士影は物覚えがいいのよ」

士影には呉貴人が宮刑を受けていることを告げていない。

密通を不問にふす代わりに、皇帝の手駒として暗躍するため、内書堂で勉学に励むことを約束させた。将来は呉貴人付きの宦官になることも夢ではないと教えると、士影は素燕に化けた緋燕の足元にひれ伏した。

『愛晶さまにお伝えください。いつかあなたのおそばに立つことが許されるよう、身を砕いて勉学に打ちこみます。その日まで、どうかお健やかに』

士影を内書堂に入れれば少なくとも五、六年は会えないと言ったが、これは最短でという意味だ。定期的に行われる試験に落第にすれば、修業まで倍以上の年数がかかる。

内書堂の学業は厳しい。大望を抱いて門をくぐった宦官の多くが志半ばで学び舎を去り、再び地面を這いつくばる過酷な仕事に戻っていく。奴婢だった士影にどこまで素質があるのか分からないが、希望を持ちたいと思った。ふたりが寄りそえる未来に。

「ああ、そうだわ。名簿を返しておくわね。そこにあるから、取ってちょうだい」

呉貴人が壁際の棚を指さした。引き出しの中に、宦官の名簿と巻子が入っている。

「十年前、内監だった宦官の半数は死亡しているわ。巻子に目を通してみて」

自害した者、殺害された者、不審な事故死を遂げた者、処刑された者が大多数だ。

残りは生きているが、全員が後宮にいるわけではない。罪人として遠方で苦役を課せられている者、左遷されて陵墓の墓守をしている者、田舎で楽隠居している者もいる。

「記録を見ると、因内監は六年前、直殿監行きになっているわね」

例の名簿の中には、因四欲の名もある。彼は光順帝の妃嬪に仕えていた。

「ええ。女官惨殺事件の濡れ衣を着せられたとかで」

「敬事房の女官から聞いたけど、その事件では五人の女官が連続で惨殺されたんですって。現場近くで何度も因内監が目撃されていたから、後宮警吏の尋問を受けたみたい。旅司正が真犯人を見つけて、因内監は無実ということになったらしいけど、本当に冤罪かしら」

旅石鼠と因四欲は旧知の仲。四欲を助けるために旅司正が真犯人をでっち上げた可能性がないとは言えない。宦官は帰属意識が強い。何かあれば、互いをかばい合う傾向がある。

「四欲のことは、心にとめておきます。他にも、気になる名前がありますね」

敬事房太監の豹太監、宮正司の旅司正、栄太后付きの暦太監、皇帝付きの刀太監……。母の仇候補が身近にこれだけいる。警戒を怠ってはいけない。


「あれは……刀太監の配下の方？」

四欲に連れられて透景閣を出た後、石畳の通路で跪いている少年宦官を見つけた。盥をひっくり返したような大雨である。少年宦官は傘も差さず、土砂降りの雨に打たれている。

「ヘマしたんでしょうね」

煙管をくわえていた四欲が気だるげに紫煙を吐いた。

「刀太監は死ぬほど厳しい人ですから、丸一日はあのままですよ」

「そうなの？　優しそうに見えるけど」

「仕事の鬼ですよ。ちょっとでも失敗すれば、ぶん殴られ、蹴られ、頭を踏みつけられ、ゴミを見る目で睨まれます。俺なんか、しょっちゅうズタボロになってましたよ」

内書堂を修業した宦官は、正途の弟子として働き、仕事を覚えていく。少監になると、上官から離れて自立し、部下を持つようになる。四欲は刀太監の弟子だったという。

「でもまあ、面倒見はいいですけどね。ぶん殴られてもついていけば出世させてくれるし、少監になった後も相談に乗ってくれるし。俺が冤罪で捕まったときも、助けてくれましたよ」

「いい上司なのね」

「はあ……どうですかねえ。背鈍虚が暦太監に仕えてましたが、心底うらやましかったですよ。暦太監は暴力上司じゃないし、頼りがいあるし、何といっても金貸してくれるし！」

刀太監はドケチだから一文も貸してくれないんです、と四欲がぼやいた。

「そのくせ、妻の舎氏には湯水のように金使いますからね。誕生日、記念日、元宵節、端午節、七夕節、しまいには皇族の降誕日にまで舎氏に贈り物をするんです。皇族の降誕日なんて、舎氏には全然関係ないでしょうがって突っこんだら、無言でぶっ叩かれましたよ」

「刀太監も愛妻家なのね」

胸に去来する思いはひた隠しにして、緋燕は当たり障りのない感想を言った。

四月初旬、後宮ではしきりに牡丹を愛でる宴が催される。

歌舞音曲に疲れ、緋燕は宴席を離れた。月影の下、ひっそりと咲く白牡丹を眺める。

（仇は生きているんだろうか……）

つい最近まで、怨敵の生存を信じて疑わなかったが、十年前、内監だった者たちの半数が死亡しているという事実を目の当たりにして、自信が揺らいできた。

仇が死んでいるなら、緋燕の入宮は無駄足だったことになる。たとえ怨讐の墓を見つけ出して憂さを晴らしたとしても、何の意味もない。そもそも仇敵が罪人として死んでいたら、墓などないだろう。骨すら残っていない亡霊に、どうやって復讐するというのか。

「憂い顔だね、李婉儀」

はっとして視線を上げると、皇帝が傍らに立っていた。常にそばに控えている朱虹が下がったことにも気づかないほど、考えこんでいたらしい。

「白は弔いの色ですから……」

兄の葬儀、母の葬儀、父の葬儀。緋燕は真っ白な喪服を着て墓所まで歩いた。兄の葬儀では身も世もなく泣き、母の葬儀では必死に涙をこらえ、父の葬儀では無表情を貫いた。

涙さえ出なかったのだ。心が半分死んでいたから。緋燕の心が脈打つのは、怨敵のことを考えるときだけ。あれがすべての元凶だ。憎き仇が母を辱めなかったら、緋燕は家族を喪わずに済んだ。今も親子四人で仲良く暮らしていたに違いない。

いや、四人とは限らない。兄が妻を娶って、家族が増えていただろうから。緋燕は小さな甥や姪と一緒に凧揚げをして遊んだかもしれない。もしくは、おもちゃになりそうなからくりを作っただろうか。祖父母になった両親は、「次は緋燕が孫を見せる番だ」と緋燕の結婚を急かしたかもしれない。緋燕のために、いくつもの縁談を持ってきてくれたかもしれない。

（私は天子さまに嫁いでしまったよ）

両親が生きていたら、入宮はさせなかったと思う。後宮に入れば里帰りは容易ではないし、実家との書簡のやり取りも制限される。何より、陰謀渦巻く危険な場所だ。両親は野心のない人たちだったから、緋燕を皇帝の寵妃にすることなど、夢にも思わなかっただろう。

（……みんなのところに行けたらいいのに）

ときおり、何もかもいやになる。運よく復讐を果たしても、家族は帰ってこない。両親や兄とは、二度と会えない。だったら、復讐に意味はあるのか。無駄じゃないのか。ここで呼吸をしていることすら、心臓が動いていることすら、詮無いことじゃないのか。

復讐心など捨てて、家族のもとに逝ってしまおうか。そうすれば、楽になれそうだ。底なしの寂しさや肌に染みついた虚しさから解き放たれて、心静かになれるのでは……。

「……主上？」

いきなり抱きしめられた。龍涎香の匂いに包まれ、当惑する。

「君はふっとどこかに行ってしまいそうだ。いつも抱いていないと心配だよ」

「私がいなくなったら、他の方が主上にお仕えします」

「他の女人ではだめなんだ。君でなければ」

きつく抱きしめられる。まるで緋燕を愛おしく思ってくれているみたいだ。

そんなことはあり得ないのに。

「君が欲しいんだ」

「……今宵も希蓉殿にいらっしゃいますか。それとも、私が仙嘉殿にまいりましょうか」

「違う、そうじゃない。君のすべてが欲しいんだよ」

「すべて、とおっしゃられても……すでに差し上げました」

『金闈神戯』の教え通りに進御してから、数日経つ。やっと務めを果たせたという安堵以外のものは得られなかった。それ以上のものを得たいと願うこと自体がおこがましいのだが。

「まだ余が手にしていないものがあるだろう？」

「……何のことでしょうか」

「君の心だよ、李緋燕」

皇帝が顔をのぞきこんでくる。彼の瞳に映る自分は、ひどく怯えて見えた。

「君が余にゆだねてくれたのは肌身だけだ。心にはいまだに触れさせてくれない」

──怖い。怖くてたまらない。何もかも奪われて、空っぽになってしまいそうで。

「心なんて……どうでもいいでしょう。私は主上の手駒にすぎません。かりそめの寵姫で、不要になれば打ち捨てられる身。主上が少しでも私を憐れんでくださるなら、心まで差し出せというご命令がどれほど残酷か、お分かりいただけるはずです」

緋燕は暗がりに浮かび上がる白牡丹をじっと睨んだ。

「私の心は私のものです。いかな主上といえども、差し上げられません」

半死半生の心でも、皇帝には渡せない。また失うのはごめんだ。父母と兄のみならず、恋しい人にまで立ち去られてしまったらと思うと、悪寒がする。玉響の愛情なんていらない。死ぬまで愛し続けてくれないなら、死ぬまで愛されなくていい。

「本当はこんなはずじゃなかった。君に惹かれるはずでは……」

喉をひっかかれたように言葉を切り、皇帝は緋燕の肩を抱いた。

「もう誰にも心奪われることはないだろうと思っていたのに、泣き方を忘れたような君の顔を見ていると、胸がえぐられる」

守るように肩を抱いていてくれる大きな手。振り払わなければ。頼ってはいけない。すがってはいけない。一度、ぬくもりに浸ってしまえば、失ったときの苦しみが増えるだけ。

「君を泣かせてあげたい。君が安心して涙を流せる場所になりたいと思うんだ」

真情のこもった口ぶりに、音を立てて心が揺れる。

「そんな場所、欲しくありません」

努めて冷淡に言い放った。白牡丹を睨む目に力をこめる。

「泣きわめいたところで、得られるものは何もない。ただ虚しくなるだけです」

「得られるものはあるよ。泣けば、まだ自分が涙を流せることに気がつく」

皇帝も白牡丹を見ていた。

「泣くことができるうちは大丈夫だ。涙を流せるなら、笑うこともできる。心は死んでいない。心が脈打っていれば、希望を抱くこともできる。希望があれば、人は生きていける」

月明かりをまとう純白の牡丹は、切なくなるほどに麗しい。

「梨花の古木の下で、君は言ったね。民が天子に抱く希望を、一筋の光を、断ち切ってはいけないと。君が語った〈民〉の中には、李緋燕の名もあるはずだ」

耳飾りが揺れた。緑水晶の玲瓏たる音色が、胸に響く。

「男としての余が信用に値しないなら、天子としての余を信じてくれないか。皇帝である余に、民のひとりである君を愛させてほしい。恋情ではなく、恩情で君を満たしたい。君が泣き方を思い出して、心から笑えるようになって、いつか――希望を抱ける日がくるように」

「……希望なんて、いりません。私は」

「余の民は希望を抱かなければならない」

有無を言わせぬ口調で言い、皇帝は月を振り仰いだ。

「太祖はよく日輪にたとえられる。蒼穹で輝く太陽を思わせる御仁だったと。我が国を開いた聖天子とは比べるべくもないが、余は日輪ではなく、月輪のような天子になりたい」

何かを溶かすような声音に追いつめられ、緋燕はうろたえた。

「日の光がまぶしすぎて目に染みる者も、月明かりなら見ることができるはずだ。静かな月影は人知れずひっそりと泣く者に寄りそい、幾ばくかの慰めを与える」

清らかな月影に照らされる天子の横顔。その神々しさに、しばし瞬きを忘れる。

「余は民の父。君の父でもある。父が子を愛すのは、月が夜輝くのと同じように自明の理だ」

天子は天の子であるという。ならば、彼は人ではないのだろうか。

「誰しもが、天子の恩愛を受けなければならない。それを拒むというなら、余の国を去れ。皇恩を望まぬ者を、余は引きとめない。この国には、慈悲をほどこすべき民があふれている。愛されたくないと願う者にまでくれてやるほど、恩寵は余っていない」

皇帝は緋燕から離れた。体を包んでくれていたぬくもりが消え、喪失感に襲われる。

「欲しければ、自ら求めなさい。君が求めれば、必ず与えよう」

「……主上、私は――」

言葉が途切れた。喉が張り裂けたように痛んで、うまく話せない。

欲しくないと言わなければ。はっきりと拒絶しなければ。もう二度と失いたくないから、何も求めないと。

期待したくない。ひとりで取り残されて途方に暮れたくないから、誰にも頼らないと。

それなのになぜか、体が動いてしまった。失ったときのことを思うと、心は怯えて縮こまる。

やがて、互いの距離は半歩になる。あと少し近づいてもいいだろうか。月輪のような天子のそばへ。勇気が足りなくてためらっていると、皇帝が両腕を広げた。

「おいで」

やわらかな微笑(ほほえ)みが歪む。瞳にあふれた涙で。わずかに残った隔(へだ)たりを飛び越え、緋燕は皇帝にしがみついた。歩き疲れた迷子が、やっと見つけた父親に抱きつくみたいに。

「……私にも、ください」

寂しかった。誰かに頼りたかった。虚しさに押しつぶされそうだった。

けれど、拒絶されるのが怖くて、ぬくもりを求めて伸ばした手を振り払われないかと不安で、他人を心から締め出した。どうせ誰も助けてくれないと諦めて、自分で自分を守った。

「……たくさん、じゃなくて、いいから……ほんの少しで……いいですから……」

だけど――もし、皇帝が緋燕を抱きしめてくれるなら、彼にゆだねてみたい。ひとりで抱えてきたものを、預けてみたい。体だけなく、心ごと抱かれてみたい。

「李緋燕」

皇帝は力強く緋燕を抱きしめてくれた。

「君を愛そう。君が望むだけ」

あたたかい声音が胸にしみる。涙が雨のようにあふれてきた。

「これからは、ひとりで抱えこまなくていい。苦しみや悲しみは余にゆだねなさい」

慈しみ深い天子の腕に抱かれ、緋燕は童女のように泣きじゃくった。

「余がそれらを希望に変えて君に返すよ」

何もかもが熱く感じられる。素肌を重ねているときよりも、ずっと。

――よき君王は、民にとって希望そのものである。

子どもの頃、読んだ史書の一節が頭によぎった。

ああ、まさにその通りだ。緋燕は今、希望に抱かれている。

恵兆王・高夕遼は宦官を毛嫌いしている。皇宮に参上した折にも周囲に宦官を寄せつけず、高級宦官とも交際しない。恵兆王府は宦官の立ち入りが禁じられた場所だ。

『宦官がいない場所でお話しできないでしょうか』

緋燕が懇願すると、皇帝は恵兆王府に行くことを提案した。

『大伯父上が臥せっていらっしゃる。ちょうど見舞いに行こうと思っていたところだよ』

仁啓帝の異母兄である恵兆王は、皇帝の書法の師でもある。普段からねんごろに付き合っているので、見舞いのための行幸も不自然ではない。

「わざわざすまないな。単なる風邪なのに」

客間で皇帝一行を迎えた恵兆王は、くしゃりと破顔した。八十に届く年齢ながら、堂々たる偉丈夫である。武人のような体軀だが、書画をこよなく愛する風流人と聞いている。

「年甲斐もなく水遊びをなさるからですわ」

恵兆王の隣でくすりと笑ったのは、恵兆王妃・李淑葉だ。後宮では栄太后付きの女官として顔を合わせたが、気さくな栄太后と違って折り目正しく、近寄りがたい雰囲気だった。

「孫たちの手前、つい張り切ってしまった。しかし、たまには風邪をひくのもいいものだな。おまえがつきっきりで看病してくれるから」

「私はいやですわ。殿下が苦しんでいらっしゃるのを見ると、胸が痛くて」

「あれでなかなか楽しんでいたんだぞ。ずっと臥せっていたくなったくらいだ」

恵兆王は愛おしそうに李妃を抱き寄せた。李妃はとうに七十を超えた老婦人だが、恵兆王と寄りそっていると、臈長けた面輪に新妻のような初々しい笑みが浮かぶ。

「王子たちの姿が見えませんね」

皇帝は壇上の宝座に腰かけた。緋燕は一段下に置かれた椅子に座る。

「今朝方、王子たちは呂守王府に出かけたんだ。呂守王妃が会いたがっていてな」

恵兆王には息子がいない。世継ぎがいなければ、王の死後、王位は朝廷に返上される。ゆえに、息子がいない諸侯王は縁者から養子を迎えて世継ぎとする。恵兆王は甥である呂守王の長男を養子に迎え、王太子に据えた。王太子は艶福家で、正妃と三人の側室にそれぞれ王子を産ませている。ちなみに彼は皇帝より三つ年下の二十二歳だ。

「男の子というのは、思った以上にやんちゃだな。孫娘たちもじゃじゃ馬ぞろいで苦労させられたが、王子たちの腕白ぶりは輪をかけてひどい。きっと父親に似たんだろう」

「殿下の影響では？　腕白な王子たちと一緒になって遊び回っていらっしゃるから」

「遊び回っているんじゃないぞ。監督しているんだ。あの悪ガキどもときたら、ちょっと目を離した隙に何をしでかすか分からない。大人が厳しく見張っておかないとな」

「私には五人の男の子が遊んでいるように見えますよ」

絹団扇で口元を隠して、李妃はたおやかに微笑んだ。

「殿下に遊んでいただいて王子たちは喜んでいるでしょうが、ほどほどにしてくださいね。転んでお怪我などなさったら大変ですわ。もうお若くないのですから」

「年寄り扱いするな。俺はまだまだ元気だ。子どもの遊び相手くらいできるぞ」

「ご無理をなさらないでくださいとお願いしているんです。お元気なのは結構ですが、やんちゃ盛りの王子たちと同等に遊んでいらっしゃると、お体にこたえますよ」

「大伯母上のおっしゃる通りですよ。大人は子どもの体力にはかないません」

王子たちの監督もほどほどに、と皇帝が愉快そうに笑う。

「子どもといえば、おまえはどうなんだ、遊宵。大婚から四ヶ月経つが、いまだに後宮からは吉報が聞こえてこない。太上皇と栄太后はさぞかし気をもんでいるだろう」

「じきに朗報をお聞かせできますよ。そうだろう、李婉儀」

優しげな視線を向けられ、緋燕は曖昧に微笑した。

（……昨夜も、薬を飲めなかった）

正式に進御してから、身籠りにくくする薬を飲んでいたのだが、この頃は気が進まなくて飲んでいない。復讐の結末がどうなるか分からないから、守るべきものは増やさないつもりでいたのに。なんとなく甘えているのかもしれない。これから先、何があっても、皇帝が守ってくれるだろうと。だから、恐れなくていいのだと。

ひとしきり和やかに会話した後、緋燕は皇帝に伴われて客間を出た。

恵兆王府には見事な竹林がある。そちらでひと休みすることにした。

「聞きしに勝る、仲睦まじいご夫婦ですね」

恵兆王夫妻は一度しか夫婦喧嘩をしたことがないらしい。しかも、その一度きりの喧嘩さえ、半日ともたなかったというから、双宿双飛とは恵兆王夫妻のことだろう。

「余と君も、いずれは大伯父上と大伯母上のようになるだろうな」

「そうでしょうか。恵兆王は側室をお持ちではありませんが、主上の後宮には美しい宮女が星の数ほどいます。私など、たちまち飽きられて、捨てられてしまうでしょう」

「へえ、今日は珍しくすねているね」

花鳥文様の鋪地で飾られた小道を歩きながら、皇帝が緋燕の肩を抱いた。

「心配しなくても、余の寵妃は君ひとりだよ」

「今は、そうかもしれません。けれど、将来のことは分からないでしょう？　後宮には見目麗しい娘が次から次に入ってきます。別段、容姿が優れているわけでもない私なんて……」

恨みがましい口ぶりに我ながら嫌気がさす。牡丹宴の夜から、どうも調子がおかしい。鏡を見るたび、自分の容貌の平凡さに溜息がもれる。これまで器量のことなんて気にしたこともなかったのに、最近は華やかに着飾っても冴えない容姿が憎らしく思えてきた。

「目下、美しくなる薬を開発中ですが、うまくいきそうにありません。肌を白くする薬ならできましたが、肌を白くした程度では美人にはなれませんし……」

「そんなことで悩んでいたのか。可愛いね」

緋燕が眉間にしわを寄せていると、皇帝はさも面白そうに笑った。

「主上は生まれながらの美形だから、私の悩みなんてお分かりにならないんでしょう。まったく理不尽です。こうして並んでいると、私が主上につりあわないことが鮮明になります」

「君は余につりあっているよ。美しく、聡明で、謎めいていて、魅力的だ」

四阿に入り、皇帝は緋燕を長椅子に座らせた。

「しかし、余は欲張りでね。君の謎を暴きたくてたまらないんだ。君が探している仇敵の宦官はいったい君に何をしたのか、知りたい」

「そこまでご存じなんですね」

「君の行動は密偵に監視させていたからね。彼らは李婉儀がある宦官を探していること、その宦官を君が仇敵と呼んでいることをかぎつけたが、それ以上のことはさっぱりだ。密偵は君の心まで見抜けなかった。君の真意は李緋燕に尋ねるのが一番だろうな」

清涼な風が竹林を駆け抜けた。皇帝の冠から垂れた水晶がしゃらしゃらと鳴る。

「話してくれ、緋燕。君が後宮に入った真の目的は何だ？」

「復讐です」

緋燕は顔を上げる。凱帝国の玉座に君臨する天子をしかと見据えた。

「十年前、母を辱めた宦官を――この手で討ちたいんです」


緋燕は朝廷の末席を汚す李家の長女として生まれた。

幼い頃の思い出は、穏やかで幸せなものしかない。博学で優しい父、料理上手でおっとりした母、正義感が強く妹に甘い兄。家族に愛され、何不自由ない暮らしをしていた。

幸福な日常にひびが入ったのは、緋燕が七つのときだ。女友達と芝居見物に出かけていた母が行方不明になった。劇場を出た直後、足取りが途絶えたのだ。

近隣の人たちは夫婦喧嘩でもして家出したのだろうと真剣に取り合わなかったが、父と母は喧嘩などしたことがないほど仲睦まじい夫婦で、母が家出する理由はなかった。

名君の誉れ高い光順帝の御代、都の治安はよいとはいえ、悪人がいないわけではない。

父はあらゆる伝手を使って母を探し回り、兄と緋燕は母が立ち寄りそうな場所を訪ねた。焦燥ばかりが募り、母の足取りはつかめなかった。

母が恋しくてたまらず、緋燕は何度も厨房に行った。いつものようにせっせとおいしそうな料理を作る母の姿が見られるような気がした。竈の火が消えてから五日が経ち、絶望が頭をもたげたときだ。緋燕は李家の門前に立っている母を見つけた。兄と緋燕は飛び上がって喜んだが、母は石のように強張（こわば）った表情で、苦しそうに涙をこらえていた。

　その理由を知ったのは、それから数日後のこと。雷光が闇を引き裂く夜更け、眠れないという兄に連れられて両親の臥室（しんしつ）に行くと、母のすすり泣きが聞こえてきた。

『話したくないなら、無理に話さなくてもよい』

　父がやわらかな声で母を慰（なぐさ）めている。

『いいえ……あなたには嘘をつきたくありません。本当のことを……話します』

　五日間いったいどこで何をしていたのか、母は涙で言葉を詰まらせながら語った。

　正直なところ、緋燕には話の内容がほとんど理解できなかった。緋燕に聞き取れたのは、母が芝居見物の帰りにさらわれたこと、宦官に辱められたことくらいだ。

「さらわれる」ことは分かるが、「辱められる」ことが何なのか、分からなかった。

　宦官は自分では指一本触れず、手下を使って母を辱めたという。七つの緋燕にはそれがどれほど恐ろしく、汚らわしいことなのか、想像もつかなかった。

　おそらく、当時十歳だった兄にも詳細は理解できなかっただろう。だが、宦官の辱めによって母の体が傷つき、心がずたずたに引き裂かれたことは、痛いほど伝わってきた。

『おぞましい!!　明日にも役所に訴えよう!!　下手人（げしゅにん）は極刑に処されるべきだ!!』

　色を失った父が激憤（げきふん）をにじませた声で吐き捨てると、母は必死で止めた。

『役所に訴え出ても無駄です。私を辱めた宦官は、内監と呼ばれていました。立派な邸に住んでいて、たくさんの使用人もいました。有力な宦官なら、罪をもみ消すのも容易です』

下手に騒ぎ立てるのは危険だと母は言った。

『言葉の端々から、その宦官は私以外の婦人も辱めていることが分かりました。けれど、宦官が婦女子を暴行した咎で訴えられた話は聞いていません。誰もが口をつぐんでいるのです。もしくは……口を封じられたのかも。その宦官は言いました。私が役所に訴え出れば、私の娘を……緋燕を同じ目に遭わせると。そんなことになったら、私は……』

母はさめざめと泣いた。父は激情を隠せない様子だったが、母がしきりに哀願するので、涙をのんで役所に訴え出ることを諦めた。――しかし、兄は納得しなかった。

『母上を苦しめたやつを、俺は絶対に許さない……!!』

兄は母が災難に見舞われたことを役所に訴えた。役人は親身になって話を聞いてくれ、犯人を捕らえると約束してくれたという。だが翌日になると、役人の態度が急変していた。

『おまえの母親は、密通をごまかすために暴行されたと嘘をついているのではないか』

件の宦官が手を回したのだ。それでも兄は真実を暴くことを諦めず、皇太子に直談判しようとした。その結果、無惨に殺された。黒猫を撫でていた殺人者の手で。

「君が猫を恐れるわけが分かったよ」

皇帝は緋燕の隣に腰をおろした。肩を抱かれると、自分が震えていたことに気づく。

「兄は暴漢に殺されたということになりました。下手人は捕らえられましたが、兄を殺した男とは別人だったんです。私はこの男じゃないと役人に話しました」

役人は他に目撃者がいる、本人が自白していると言って取り合わなかった。

「事件のことには口をつぐむよう、母は私に言い聞かせました」

件の宦官は李家を監視している。騒ぎ立てれば、もっと犠牲が出るかもしれない。緋燕に何かあってはいけないから、沈黙するようにと。緋燕は憤った。兄が殺されたのに、黙っていろというのか。兄を見捨てるのか。だったら兄は犬死にじゃないか。

『母さまは兄さまより自分の恥を隠すことのほうが大事なの？』

かっとなって乱暴な言い方をしてしまった。母は喉を刃物で切り裂かれたような顔をした。傷つけてしまった。後悔したときには、緋燕は父に平手で殴られていた。

『おまえの母に隠すべき恥などない！　恥知らずなのは下劣な宦官のほうだ！』

優しく穏やかな父が常になく激昂していた。憤怒に燃える父の瞳を、緋燕は睨みつけた。

『恥がないなら、堂々と訴え出るべきよ！　父さまは官吏なんだから主上に――』

『……ごめんね、緋燕。何もかも、母さまが悪いの』

母は緋燕を抱きしめた。母の体からは、いつもおいしそうな匂いがした。蒸したての包子や五香粉をまぶして揚げた鶏肉、香ばしい焼き蟹、酢と胡椒がきいた鯉の煮込み湯。

けれど、この日、母が身にまとっていたのは、きつい線香の匂いだった。

『お願いだから事件のことは黙っていて。あなたに何かあったら、母さまは生きていけない』

緋燕は母にしがみついて痛哭した。

兄が大好きだった。おいしいものはいつだって緋燕に分けてくれたし、難しい字を教えてくれたし、一緒に凧揚げをしてくれた。もう二度と会えないなんて、信じたくなかった。

「……兄の事件から半年と経たずに、母も……帰らぬ人になりました」

近隣では「李家の夫人は密通している」という噂がまことしやかに囁かれていた。

「例の宦官が噂を流したんでしょう。……父と母が言い争っているのを、何度も見ました。母は離縁してほしいと懇願していました。醜聞が李家を汚してしまうからと……」

父は頑として受けつけなかった。誰よりも母を信じていたし、愛していたから。

「親類が母を離縁するべきだと言ってくるたび、父は激怒してはねつけました。私も、どうして母が責められるのか分からなかった。母は悪いことなんてしてないのに、さらわれて……災難に遭っただけなのに……なぜ母を追い出せと言われなければならないのか……」

入水する前日、母は緋燕の好物をたくさん作ってくれた。母の表情が明るいから、緋燕も久しぶりに笑顔をこぼした。嬉しかったのだ。日常が戻ってきたようで。

「母は……短刀で喉を裂いてから、川に身を投げたそうです。確実に死ねるように」

遺書は父宛てと緋燕宛ての二通あった。緋燕宛ての遺書には、いやなことは早く忘れて平穏に暮らすように、父が再婚したら継母を本当の母親と思って慕うようにと記されていた。

「父は遺書を燃やしてしまいましたが、たぶん再婚を促す内容だったんでしょう……」

兄と母がいなくなった邸は、息がつまるほどに静かだった。父は口数が少なくなり、病気がちになった。緋燕は必死で看病したが、父の病状は悪化するばかりだった。

『いつだったか……おまえを殴って、すまなかったな』

臥せった父が緋燕の頰を大事そうに撫でた。「痛かっただろう」という言葉が胸にしみた。

『ううん、いいの。私が悪かったんだから』

怒りに任せて母を責めた。思えば、それが母を入水に追いこんだのかもしれなかった。

『おまえは悪くない。母さまも、兄さまも、悪くなかった。何もかも……私のせいだ。私に才覚がないばかりに……力がないばかりに、卑劣な宦官から家族を守ってやれなかった』

すまない、すまない、と父はうわ言のように繰り返した。

翌日、緋燕は父を亡くした。

叔父夫妻の邸で新しい暮らしが始まってからも、仇のことが忘れられなかった。

母を辱め、兄を殺めた宦官。緋燕の家族を奪った卑劣漢は、今ものうのうと生きている。悪事を暴かれることなく、罪を償うことなく、人間のような顔をして暮らしている。

「日に日に憎しみが募りました。報いを受けさせたかった。母が耐えた恥辱を、兄が味わった痛苦を、父が嘗めた辛酸を、私の四肢を焼く怨憎を思い知らせてやりたかった。頭の中で幾度となく仇を殺しました。何度も何度も、あらゆる方法で、顔も知らない宦官を……」

怨敵（おんてき）は高位の宦官。叔父の居候（いそうろう）でしかない緋燕は、後ろ姿を見ることすら叶わない。

だが、好機が訪れた。従姉（いとこ）の代わりに、緋燕が後宮入りすることになったのだ。

皇宮に入るとき、緋燕は決意した。必ず、復讐（ふくしゅう）を果たすと。

「十年前、内監だった者の名簿を呉貴人（ごきじん）に調べていただき、半数の死亡が確認できました。残りの半数が現在どこで何をしているかも。でも……結局、仇の生死は不明のままです」

緋燕は上襦（じょうじゅ）の袖口（そでぐち）を握りしめた。

「後宮に入れば、仇を見つけられる――漠然（ばくぜん）とそう思っていました。……自分がどんなに浅はかだったか、痛感しています。疑わしい宦官の頭数が多すぎる。どこから手をつけていいかも分からない状況です。ひとりで調べていたら、どれだけの年月がかかるか……」

「余（よ）が協力するよ」

皇帝は袖口を握りしめていた緋燕の手を大きな掌（てのひら）で包んだ。

「君の仇の罪を暴いて、相応の罰を受けさせてやろう」

「もし、私の仇が高級宦官だったら？　簡単に罰せられる相手ではありません」

「仇がどの位であろうと断罪することはできる。高級宦官なら、まず失脚させることだ。方法はいくらでもある。宮中では、誰もが薄氷（はくひょう）の上に立っているからね」

いったん高い地位を失わせた後、古い罪状を掘り起こす。政敵を完膚（かんぷ）なきまで陥（おとしい）れる策謀（さくぼう）としては、決して珍しいものではない。

「主上には一切かかわりのない事件なのに、そこまでなさるのですか？」

「君の兄は余に直談判しようとして口封じされた。凱の民が余を頼ってきたのに、助けてやれなかったんだ。君の兄を殺したのは、余でもある」

「主上のせいではありません。主上は何もご存じなかったのですから……」

「不知は免罪の理由にならない。なぜなら、余は天子だから」

――龍徳は天のごとし。〈天子の恩徳は大空のようにあまねく行きわたる〉

経書は声高にそう謳うが、あくまで理想だ。天下はあまりに広く、民はあまりに多い。たったひとりの皇帝に、すべての人を救うことなどできようか。

龍徳は天ではない。限りがある。それでもなお、天子は希望と同義である。

「君の兄を、母を、父を救えなかった余に、名誉挽回の機会を与えてくれないか」

皇帝が否やを封じるように唇を重ねてくる。

「君は名実ともに余の妃嬪になったんだ。君の仇は、余にとっても仇だよ」

何か言おうとしたが、声が出ない。視界が涙で曇った。

「……私、怖いです」

緋燕は震える手で皇帝の肩にしがみついた。

「今の幸せが、永遠に続くことを……期待してしまいそうで」

寵愛は永遠のものじゃない。碧麗の言葉が耳元でよみがえった。

「人の命に限りがある以上、現世に永遠のものはない。だが、生きている間は永遠を約束できる。それは期限付きの久遠にすぎないが、余が君に与えられる最上のものだ」

頬を流れた涙が龍衣にささやかなしみを作った。いっそこの腕の中で死んでしまいたい。

「君が皇子を産んだら皇后にしよう」

「産めなかったら？」

「皇貴妃にして、皇后は空位にする。そうすれば、儀式や宴席で余の隣に立つのは君だ」

「そんなことを軽々しくお約束なさるべきではありません。後宮の位階は政の――」

諫言は口づけでうやむやにされる。

「余の隣に立つのは、李緋燕――君であってほしい」

胸が熱くて、喉がつかえる。緋燕は泣き笑いのような表情で皇帝を見つめた。

「私、身籠ってもいないんですよ。後宮の未来をお決めになるのは、気が早すぎます」

「それもそうだな。互いの務めを果たすのが先だ」

皇帝は緋燕を抱いて立ち上がった。そのまま四阿をあとにする。

「あ、あの……どちらへ？」

返事をする代わりに、皇帝は目元を緩めた。閨で見るような艶めいた微笑にどきりとする。

今夜は恵兆王府に一泊することになっているが……まだ昼過ぎだ。

「……今日はお控えになるべきかと。ここは後宮ではありませんし、彤史もおりませんし」

「大丈夫だよ、緋燕。彤史も随行している」

「……そ、そうだわ。恵兆王殿下が所蔵なさっているという書画を鑑賞しませんか。希代の名品ばかりだとうかがっています。優れた美術品は目の保養に」

「どんな素晴らしい書画も、君の裸身ほど余を魅了しはしない」

愛しげな囁きに頬をくすぐられると、抗う気力がくじかれてしまう。

頼もしい腕の中で、緋燕は小さくなった。何と言えばいいのか、分からない。どう表現すればいいのか、分からない。ただ、胸の奥が甘く――切なく痺れている。

(……ごめんなさい、碧麗)

罪悪感が鋭い爪で心の内側をひっかく。

(主上を……あなたに譲れない)

独り占めしたい。誰にも渡したくない。皇帝を、寵愛を、この場所を、死ぬまで手放したくない。その大それた願いが、三千の美姫に不幸を強いることは……承知しているけれど。

文蒼閣へ行く途中、緋燕は四欲を見かけた。今日、四欲は午後から休みを取っている。自邸に帰るのかと思ったが、彼が向かう先は後宮の出口とは反対方向だ。

「なじみの女官にでも会いに行くんじゃないですか」

緋燕の供をしている朱虹がとげとげしく言った。

「朱虹って、四欲のことが嫌いよね」

「嫌いです。女癖も酒癖も手癖もガラも悪いし、お金には汚いし。顔以外全部ゴミですね」

　さんざんな言われようだが、だいたい合っている。

（六年前の事件、四欲は本当に潔白だったのかしら）

　四欲がどこに行くのか気になるので、こっそり尾行することにする。

（記録によれば、四欲はもと孤児だったわね）

　二十数年前、都の近辺では疫病が猛威をふるった。街には親兄弟を亡くした子どもがあふれ、身寄りのない老人や孤児を収容する各地の養済院は、またたく間に満員になった。

　四欲は五歳から七歳まで養済院にいたが、何を思ったか養済院を飛び出して、路上生活を送る。放浪の末、宦官の募集を見て富貴を志し、後宮入りした。ときに十歳である。

　志願して内書堂に入り、参席で修業。十五にして立身出世の道を歩み始める。

　艶っぽい美貌の持ち主で、口がうまく、金回りがよい内書堂出身の上級宦官。本人にその気がなくても女たちが放っておかない。腕力に訴えなくても閨の相手には事欠かないはず。

　……とはいえ、高級宦官なら、たいていの美女は思いのままだ。

　十年前、内監と呼ばれていた母の仇だって、戯れの相手には事欠かなかっただろうに、あえて暴力を選んだ。生まれながらに歪んだ性癖を持つ者もいる。

「玉梅観に行くみたいですよ。昼間から女道士と逢瀬だなんて、いやらしいわ」

四欲は十字に交わった通路を左に曲がろうとしている。玉梅観の方向だ。

「因内監って、後宮中に恋人がいるって噂なんですよ。敬事房にも、宮正司にも、尚宮局にも尚儀局にも！　度しがたい好き者なんですから。でも、勘違いしないでくださいね。宦官が全員、因内監みたいな色魔ってわけじゃないですよ？　私の旦那さま――誉懐さまは誠実な人です。浮気はしたことがありません。もちろん、もてないわけじゃないんです。素敵な人ですから、女官たちはみんな誉懐さまを狙ってます。だけど、彼は私に一途で――」

「それで尾行してるつもりですか、あなた方」

駆け足で追いかけて通路を左に曲がると、待ちかまえていた四欲に睨まれた。

「何だ、気づいてたの」

「ばればれですよ。李婉儀さまの変な走り方の音がするし、舎氏がぺらぺらしゃべってるし」

「逢瀬の邪魔をするつもりはなかったんだけど、ちょっと面白かったからつけてきたわ」

緋燕は笑顔でごまかす。四欲は面倒くさそうに溜息をついた。

「逢瀬っていっても、美人とじゃないです。石鼠と玉梅観で落ち合う約束をしてるんですよ」

「えっ……。あなたと旅司正って、そういう……？」

「気色悪い誤解しないでください。石鼠が亡き妻の供養をするんで、付き添うんです」

「ええっ!?　旅司正って奥方いたんですか!?　あれで!?」

「意外だろ？　あいつ、女じゃなくて、神仙像でも抱いて寝てそうなツラしてるもんな」

「女嫌いって顔してるのに、結婚してたなんてびっくり。でも、奥方亡くなってるんですね。あ、まさか、奥方が亡くなったのって……旅司正が拷問道具を閨に持ちこんだからじゃ」

朱虹が青ざめると、「それはない」と四欲はきっぱり否定した。

「あいつは宝珠みたいに奥方を大事にしてたよ。夫婦だったのは、たった二年だったけどな。六年前に亡くなってから、毎年欠かさず供養している。市井の道観じゃなくて、わざわざ玉梅観で。玉梅観には慈誠皇后の加護があるといわれているから」

太祖に仕えた慈誠皇后は、情け深い婦人だった。六十年の生涯を善挙（慈善活動）に費やし、あまたの婦女子を助けたので、崩御後は女人たちの聖母として各地で祀られた。

「旅司正とずいぶん親しいのね。奥方の供養にも付き添うなんて」

「同期だし、内書堂の学友ですから。修業後もいろいろ腐れ縁で。特に迷氏の……あいつの奥方の死は、俺の責任でもあるし、追福に付き添うのは罪滅ぼしというか……」

「あなたが旅司正の奥方を殺したの？」

彼に対して疑念を抱いているためか、詰問のような言い方をしてしまった。

「そうですね、俺が殺したも同然です」

いつになく苦々しい表情で、四欲は足元に視線を落とした。

「李婉儀さま」

玉梅観の内院に入ると、白い花を咲かせた庭桜の木のそばで旅司正が丁重に拝礼した。

「四欲から大方の事情を聴きました。ぜひ私にも迷夫人のご冥福を祈らせてください」

「恐れ入ります」

旅司正は歴戦の名将のような厳めしい面を伏せた。

もうもうと香が焚かれた本殿で、女道士が経を上げる。祭壇には季節の食べ物が供えられ、明々と灯燭が灯されている。緋燕たちは敷物の上に跪いて合掌し、経に耳を傾けた。

（迷夫人の仇は……私の仇と同じかもしれない）

四欲によれば、迷氏は婚家から放逐され、実家からも追い出された女性だという。

離縁された理由は、迷氏の不貞。だが、それは事実ではない。迷氏は母と同じように腕ずくで連れ去られ、災難に遭った。凶行から数日後、迷氏は解放されて家に帰り、何があったのか夫に打ち明けた。夫は激怒した。妻を辱めた卑劣な宦官に……ではなく、迷氏自身に。

『汚らわしい!!　なぜすぐに自害しなかった!?』

いつの時代も、宦官は〈欠けた者〉として嫌悪され、蔑視される。古の教えは「親不孝の最たるものは、子を持たないことだ」といっているから、子孫を残せない宦官は不孝の罪を犯している咎人だ。同様の辱めであっても、男から受けたものより、宦官から受けたもののほうがいっそう忌まわしいとされる。宦官の妻妾が嘲弄されるのも、同じ理屈である。

離縁された迷氏は実家に帰ったが、宦官に辱められた娘など家名を汚すだけだと追い出された。駆けこんだ道観では宦官の慰み者と女道士たちにいじめられ、絶望した迷氏は入水しようとした。偶然通りかかった旅石鼠が助けなければ、彼女はその時点で死んでいただろう。

二人の邂逅は今から十年前。旅石鼠は十八歳、迷氏は二十八歳だった。

「迷氏は初め、私を武官だと思っていました」

龍鳳が彫刻された香炉で紙銭を焚きながら、旅司正は口を開いた。

紙銭は冥銭とも呼ばれる。紙で作った金子で、供養する際はこれを焼き、冥府に届ける。黄泉の世界で死者が裕福に暮らせるようにとの願いがこめられた習わしだ。

「行き場所がないならと使用人として邸に住まわせたんです。迷氏は働き者で、朝から晩まで働いていました。そこまであくせく働かなくてもと言ったんですが……」

いやなことを忘れるには忙しくしているほうがいいと迷氏は笑った。

宮正司の宦官は多忙だ。立派な邸を持っていても、なかなか帰れない。しかし、だからこそ、たまに帰宅したときの迷氏の笑顔が激務で疲れた石鼠の心をあたためてくれた。

「気づけば、彼女に会うために邸に帰るようになっていました。迷氏が好きな花や菓子を手土産にして……。愚かなことです。宦官の分際で、女性に惹かれるなど……」

旅石鼠は本姓を慮という。慮家は呉家に次ぐ武門だったが、十八年前、慮姓の官吏が皇族殺しという大罪を犯したため、慮一族は誅殺された。

当時は寛仁な光順帝の御代である。皇恩により年少者と婦女子は減刑され、流罪または宮刑となった。石鼠は宮刑を言い渡され、〈欠けた者〉になった。

因四欲や背鈍虚(はいどんきょ)と内書堂で机を並べて勉学に励(はげ)み、十五にして首席で修業、宮正司に配属される。迷氏と出会った十八のとき、彼はすでに司正の位にあった。

「ある日、邸に帰ると、迷氏が青い顔をしていました」

『……あなたは、宦官だったんですか?』

「さらわれたときのことを思い出すのか、迷氏は邸から出ませんでしたが、この日は思い切って買い物に出かけたそうです。出先で私が宦官だということを聞いたらしく……」

『なぜもっと早くおっしゃってくださらなかったんです?』

「迷氏が私を武官だと勘違いしていることには気づいていましたが、誤解は正しませんでした。彼女は宦官を恐れていたので、おぞましい過去を思い出させたくなかったんです」

迷氏は邸を飛び出した。霙(みぞれ)が降る日のことだ。石鼠は必死で彼女を追いかけ、街中を走り回った。身も凍るような恐怖に襲われたのは、これが初めてだったと旅司正は言う。

「宮刑には恐れなど感じなかった。むしろ、極刑をまぬかれたことに安堵(あんど)していたくらいで。……だが、この日は生きた心地がしなかった。迷氏が自死していないかと思うと……」

方々を駆けずり回った末、初めて出会った湖で迷氏を見つけた。

『私……あなたのことが怖くてたまらないんです。あなたが、宦官だから』

迷氏は泣き濡れた瞳で、凍える湖を睨(にら)んでいた。

『でも、嫌いに……なれないんです。あなたは……宦官なのに』

石鼠は迷氏を連れ帰った。二人の関係は少しぎこちなくなり、二人の距離は少し近づいた。

「その頃の上官はお節介焼きで、独り者の部下を手当たりしだいに縁づかせようとしていましてね。私もしつこく女官との結婚を勧められ、迷惑していました」

そのことで迷氏に愚痴をこぼすと、自分を妻にしてしまえばいいと彼女は言った。

『私のようなとうが立った……傷物の女でよろしければ』

簡単には決断できなかった。石鼠は普通の夫のように彼女を愛せないし、子をもうけることもできない。そして何より、彼女を世人から蔑まれる〈宦官の妻〉にしたくなかった。

「伝手を使って、迷氏の再嫁先を探しました。彼女の過去にこだわらない寛容な男を幾人か見繕って、迷氏に選ばせようと。……ですが、迷氏は誰も選ばなかった」

『あなたは、私を厄介払いなさりたいんですか？』

迷氏は自分が恥辱を受けた年増の女だから、石鼠が娶りたがらないのだと誤解していた。

「のんきなものです。私の苦労など、知りもしないで」

日に日に恋情は募る。触れたい、抱き寄せたい。けれど、宦官を恐れる迷氏を怖がらせたくない。石鼠は自分が男ではないことを恨んだ。もし、宮刑を受けなかったら、迷氏に触れることをためらわずに済んだのに。心のまま、彼女を抱きしめることができたのに……。

眠れない夜が続いた。同じ屋根の下に迷氏がいる。間違いを犯してしまうかもしれない。

石鼠は自室に外側から鍵（かぎ）をかけさせた。朝まで絶対に鍵を開けるなと使用人に厳命して。自分を信用できなかったのだ。迷氏を傷つけはしないかと不安だった。しかし、とうとう真夜中に鍵が開けられる日がやってくる。鍵を開けたのは、ほかならぬ迷氏だった。

『私は……あなたが好きなんです。あなたが宦官でも……私のことを、嫌っていても』

石鼠の臥室（しんしつ）に入り、迷氏は涙をいっぱいためた目で彼を見た。

「私が自室に鍵をかけたことで、彼女は私に拒絶されたと思っていたようです。迷氏を守るためにしたことだというのに……」

互いに思いのたけを打ち明け、二人は夫婦になった。出会ってから二年後のことだ。

「呆（あき）れるくらい相思相愛でしたよ。俺の前で当てつけみたいにいちゃついて」

「当てつけていたわけじゃない。迷氏を見ていると、周りが目に入らなくなったんだ」

旅司正は紙銭を香炉にくべた。

「これからご夫婦で幾久しく幸せに……というときに、迷夫人は病を得てしまわれたのですね」

緋燕も紙銭を焚く。香炉の中で炎が物言いたげに揺らめいた。

「……私のせいです。職務に忙殺されて、迷氏にかまってやれなかった」

冬の寒さがこたえたのだろう。彼女は生来虚弱で、災難に遭って以来、いっそう体を患（わずら）っていた。けれど、多忙ゆえ邸に帰る暇もない夫には、病のことを伏せていた。

――お勤めに励んでいらっしゃるあなたをわずらわせたくなくて。

侍女が代筆した迷夫人の遺書は、夫を気遣う文章で埋め尽くされていた。

「おまえは仕事に忠実だっただけだろ。……俺のせいだよ。俺が疑われるような行動をしてたせいで、女官殺しの濡れ衣を着せられちまって……おまえをわずらわせた」

六年前、五人の女官が連続で惨殺された。殺害現場で頻繁に目撃されていた四欲は真っ先に疑われ、宮正司に捕らわれる。旅司正は四欲の無実を証明するために奔走した。

「四欲の無実を確信していたんですね」

「こいつの性分はよく知っていますから。女人に暴力をふるうようなやつじゃない。浮気がばれて殴られているのを見たことは何度もありますけどね。それに、真犯人を示唆する証拠があった。遺体の衣服には必ず被害者のものではない白粉が付着していたんです」

「白粉……？　ひょっとして、真犯人は女の人？」

「先帝の妃嬪でした。四欲が以前仕えていた沖昭容です」

殺された五人の女官は、全員身重だった。沖昭容は自分がいっこうに身籠らないことに怨念を募らせ、懐妊中の女官を殺害して、憂さを晴らしていたのだという。

「私たちは日常的に文のやり取りをしていたので、迷氏が寝込んでからも書簡は来ていました。文面では元気な様子だったから、安心していたんです。ちょうど他の事件も重なってしまい、後宮を離れられず……。後悔しても遅いと分かっていますが、もっと気遣ってやればよかった、せめて顔を見に帰っていればよかった……と、自分を恨まずにはいられません」

宦官が妻を娶ると、愛妻家になることが多いという。〈欠けた者〉として白眼視される孤独な存在だからこそ、自分を受け入れてくれた妻に、人一倍、真情を注ぐのだろう。

(……宦官にもいろんな人がいるのね)

できるだけ面には出さないように心掛けてきたが、緋燕は宦官を嫌悪している。宦官といえば、何よりもまず母の仇が思い浮かぶからだ。けれど、旅司正と迷夫人の話を聞いていると、宦官全般を忌み嫌うのは、何か違う感じがする。世間には悪辣な男もいれば、善良な男もいる。それと同じように、悪い宦官と、そうでない宦官がいるのではないか。

「あのさ、舎氏。さっきからおまえ、すげえうるさいよ」

「だって……私、こういう話に弱いんです……！」

朱虹がわんわん泣いている。「気づけば、彼女に会うために……」の辺りからずっとだ。

「感動しました！　旅司正、迷夫人のことを本当に愛していらっしゃるんですね……！　今まで拷問しか楽しみがない心の寂しい人だと思っててごめんなさい！」

「……別に謝らなくていい。心が寂しいのは事実だ。迷氏がいなくなってから、何事も楽しめなくなった。毎朝、目覚めるたび、まだ自分は生きているのかと落胆する」

「おいこら舎氏。おまえのせいで石鼠がますます辛気臭くなっちまったじゃねえか」

「そんなつもりじゃ……！　困ったわ。李婉儀さま、旅司正を励ましてください」

朱虹に泣きつかれ、緋燕は無言で紙銭をくべる旅司正を見やった。

愛した人を喪い、悲嘆の最中にいる人にかける言葉はない。励ましの言葉で癒される類の痛みではないのだ。だから緋燕は何も言わずに紙銭を焚いて、空を振り仰いだ。

「今夜は雨が降りそうだわ」

追福した日に降る雨は、死者が流す涙だという。自分がいまだ忘れられていないことに安堵して、あるいは、愛しい人と会えないことを悲しんで、死者はさめざめと泣く。

「旅司正は、背少監――背鈍虚さんの様子をご存じかしら」

玉梅観を出る前、緋燕はふと思い出した。折貴人の事件で、直殿監行きになった宦官。死はまぬかれたとはいえ、大変な苦労をしているだろう。

「お耳に入れるべき話ではないかもしれませんが……鈍虚は毒を盛られたんです」

「まさか……亡くなったんですか？」

「いえ、命に別状はありません。ただ、毒で喉を焼かれて話せなくなった上、両手にも震えが残ってしまい、筆談も困難になり……会話ができなくなりました」

「……お気の毒に。犯人はしかるべき罰を受けたんでしょうね？」

「しょせんは下級宦官のいざこざにすぎません。〈しかるべき罰〉は鞭打ち十回ほどの軽いものにしかならず、犯人を罰すれば、鈍虚がさらなる苦境に立たされるでしょう」

犯人は分かっているが、罰せられていない。下級宦官の命は、それほどに安い。

「直殿監では、よくあることです。一生、富貴とは無縁の下級宦官は日ごろから鬱憤を募らせています。直殿監行きになった正途は、彼らの恰好のはけ口なんです」

「……私のせいですね。私が鈍虚さんに自害させないよう、主上に訴えたから……」

背鈍虚は死ぬよりもつらい目に遭っている。緋燕の、〈慈悲〉のおかげで。

「後宮では、生きているだけで幸運です」

旅司正は今にも泣きだしそうな空を見上げた。

「ご自分を責めないでください、李婉儀さま。鈍虚は生きています。命さえあれば、再起できます。たとえ砂粒ほどの希望でも、〈欠けた者〉にはそれが生きるよすがなんです」


「君の母上の事件と似通った事件が五件、記録されていたよ」

恵兆王府の一室で、遊宵は冊子を緋燕に見せた。事件の調書の写しだ。

「五件とも街中で婦人がさらわれ、宦官に辱めを受けて数日後に解放されている。調書を作った老官吏は清官だよ。上官から捜査を打ち切れと命じられたが、秘密裏に続けたそうだ」

「……記録に残っているものが五件ということですよね」

「それも老官吏が残した非公式の調書だ。上官には調書を破棄するよう命じられたらしい。命令通りに処分された調書がもっと存在したとすれば、実際の事件数はさらに多い」

被害に遭ったすべての婦人と親族が役所に訴え出たとは思えない。

「最も新しい事件は六年前。老官吏によれば、それ以降は同様の事件が報告されていない」

老官吏は都の近辺で同じような訴えが出ていないか、定期的に調査していた。

「六年前に下手人は犯行をやめた……?」

「死んだ可能性もあるよ。もしくは別件で流罪になったか、投獄されたか、病床に臥したか」

緋燕は宦官の名簿を取り出した。六年前に死んだ者だけでもかなりの数だ。

「せめて犯人が生きているかどうか、後宮にいるかどうかが分かれば……」

「調べる方法はある」

遊宵は調書をぱらぱらと眺めた。

「被害者の名前は伏せて犯行の内容を記した怪文書を作り、後宮中にばらまくんだ。下手人なら身に覚えがあることをね。彼が後宮にいれば、何かしらの動きがあるだろう」

下手人は巧妙に犯行の形跡を消してきた。それだけ保身にたけているということだ。もし、いまだに後宮にいるなら、自分の後ろ暗い過去を消そうと、行動を起こすはず。

「まずは一件目の調書をもとに、怪文書を作ってみよう。反応がなければ、二件目の……」

「怪文書に書くのは、母の事件にしてください」

緋燕は毅然と遊宵を見据えた。

「他の被害者やその家族は、無断で事件の詳細を広められたくないでしょうから」

「しかし……君の母上の件が明るみになるよ」

「仇をあぶりだすためです。それに、名前を伏せれば、母のことだと分かる人はいません」

「たとえ、下手人以外気づかなくても……君はつらいだろう」

緋燕が家族を喪うきっかけになった事件だ。文書にしたため、不特定多数の人々に読まれるのは、身をえぐられるような苦い痛みを伴うだろう。

「平気です。これで、母の仇を討てるなら……」

「緋燕」

遊宵は彼女の肩を抱いて、いたわるように名を呼んだ。

「余の前で涙をこらえてはだめだ」

伏せられた睫毛が震える。梨の花びらのようなまぶたがおろされると、しずくがこぼれた。

「……私を、甘やかさないでください」

緋燕が胸に顔をうずめてくる。甘やかしてほしいとねだるみたいに。

「主上なしでは、生きられなくなりそうです」

「そうなってほしいんだ。君を余の虜にしておきたい。君が余から離れられないように」

李緋燕は謎めいているから惹かれてしまうのだと考えていた。それは半分正しく、半分間違っている。彼女の魅力はこの体に秘められた謎だけではない。

緋燕が持つもろさが遊宵を惑わすのだ。緋燕は賢く、気高く、したたかでありながら、今にも消えてしまいそうな危うさを秘めている。だからこそ四六時中、抱いていたくなる。彼女を甘やかしていたくなる。朝から晩まで、甘やかしていたくなる。

（囚われてしまったのは……俺のほうだな）

かつての遊宵だったら、仇討ちには手を貸さなかっただろう。

『自分の身は自分で守るんだ。余が守ってくれるなどとは、期待するな』

初めての夜伽でそう言ったとき、彼女は星の数ほどいる宮女のひとりにすぎなかった。

しかし、今となっては、なぜ李緋燕に早くから目をとめなかったのか分からない。彼女はこんなにもか弱く、こんなにも愛らしく、こんなにも遊宵を捕らえて離さないのに。

「夜が更けてきたね。臥室に行こうか」

「いけません。今日は五月十六日ですから」

五月十六日は、夫婦別寝の日とされている。禁を破って同衾すると早死にするという。

「君のぬくもりに包まれて死ぬのも悪くないな」

「だめです。主上は私より長生きしてください」

緋燕は涙をためた瞳で遊宵を見上げた。

「私、主上の腕の中で死ぬつもりなんです。主上は私より先に崩御なさらないで」

「ずるいな。余だって、君の腕に抱かれて死にたいのに」

遊宵が笑うと、緋燕は不安そうに眉を引き絞った。

「残される……のは、もういやなんです。だから……」

緋燕は兄、母、父を立て続けに亡くしている。その古傷が彼女の心で疼(うず)いているのだろう。

「分かったよ。余は君より先に死なない。君が息を引き取るときは、腕に抱いていよう」

彼女を喪う日のことなど考えたくないが、緋燕の願いなら叶えてやりたい。

「ありがとうございます。とても嬉しいです」

「こういうときは『嬉しい』ではなくて、『愛している』と言うんだよ」

「……言いたくありません」

「なぜだい？　余のことを愛しく思ってくれていないのかい？」

緋燕は頼りなげに首を横に振った。

「……怖いんです。言葉にしてしまったら、寵愛(ちょうあい)を失ったとき、耐えられなくなりそうで」

後宮が存在する限り、彼女の瞳から恐怖心を消し去ることはできないだろう。苦い思いに胸を焼かれつつも、後宮を手放すことは約束できないのだ。後宮は皇帝が玉座から政(まつりごと)を操る上で、不可欠なものだから。恨めしいことだ。もし、遊宵が皇位につかなかったら、一皇子にすぎなければ、もしくは一介の庶民(しょみん)だったなら、彼女を唯一の妻と呼ぶことができたのに。

「じゃあ、言わなくていいよ。その代わり、余を愛しく思うときは指先で唇に触れてくれ」

「こうですか……？」

たおやかな指先がおずおずと唇に押し当てられた。触れ合うぬくもりから愛おしさがあふれる。何もかも捨ててしまいたくなった。李緋燕以外のすべてを。

「……主上、いけません、今夜は……」

抗う唇を貪るような口づけで封じる。

（一日も早く――仇を始末してしまわなければ）

緋燕の仇は、遊宵にとっても憎き敵だ。やつは今も、彼女の心を支配しているのだから。


「李婉儀さま、こちらをご覧になりました？」

工房で作業をしていると、朱虹が一枚刷りの紙を見せてきた。例の怪文書である。

内容は、十年前、とある高級宦官が劇場帰りの夫人を連れ去り、数日間にわたって辱めたというもの。宦官は自分の罪を隠ぺいするため、役所に圧力をかけて役人の口を封じ、事件を皇太子に直訴しようとした夫人の息子を縊り殺した。さらに「夫人は密通を隠すために乱暴されたと訴えている」という不名誉な噂を流して、夫人を入水に追いこんだ。

名前や地名は伏せて、できるだけ具体的に事件の内容を記した。

「許せないわ。女性を辱めただけでも吐き気がするほど卑劣なのに、息子を殺して、汚らわしい噂を流すなんて。こういう輩は地獄に落ちればいいんです」

義憤にかられ、朱虹はまなじりをつり上げている。

「本気にするなよ、舎氏。いつもの誹謗中傷だろ」

片や、四欲は冷めた目で文面を眺めていた。緋燕は小首をかしげる。

「いつもの……って？」

「よくあるんですよ、この手の流言飛語は。面白がってやるやつがいるんです。俺もやられたことありますよ。妃嬪と通じただとか、先帝の食事を盗み食いしただとか」

「本当に流言だったの？」

「言っときますけどね、妃嬪に手を出したことなんかないですよ。それどころか、宮女にだって絶対に手は出しません。不義密通の罪の重さは、長年の後宮生活で身に染みてます」

女好きでも、最低限の規則は守るようだ。

「先帝の御膳に手をつけたのはホントでしょ？　知ってるんですよ、因内監。先帝が沖昭容の殿舎にお渡りになったとき、御膳からこっそり蟹の脚をくすねたって」

「くすねてねえよ。先帝がくださったんだよ」

「どうせ物欲しそうな目で見てたんでしょ。ああ、さもしい」

「旦那をしつこく追いかけ回してお情けで結婚してもらった女に言われたくないね。好きですー好きですーって付きまとってたよな。あの頃のおまえ、必死すぎて痛々しかったぞ」

「だって、誉懐さまったら、とってもつれなかったんですもの。だけど、今では私にべた惚れなんです。私、料理が下手なんですけど、誉懐さまは私の手料理を『見た目はともかく、味は悪くない』って言って食べてくれます。ふふ、たまにお弁当を作ってあげると――」

「一生惚気てろ。ところで李婉儀さま、そろそろお支度をなさらないと」

四欲に急かされて工房を出る。今夜は皇帝と蛍狩りをするのだ。

「主上からいただいた蛍石の首飾りをつけたいわ」

「素敵！　琥珀の耳飾りと合いますよ。口紅の色は夜陰に映える紅赤にしましょう」

「衣装は蓮花文だな。主上がおっしゃってたんだよ。蓮模様の衣を脱がせるのが好きだって」

どうりで、蓮花文の衣装を着ることが多いと思った。

「蓮の花びらを一枚一枚はがしていくみたいで、興が乗るんだそうですよ」

「ふふふ、それなら内衣も蓮の模様にしなきゃ。羅襪も蓮の花が刺繍されたものに」

「やめて。全部はいだら、私が花床みたいになるじゃない」

蓮の花は美しいが、芯にあるのは蜂の巣状の花床だ。正直、美しくはない。

「主上曰く、花びらをすべて脱がせた後に現れるのが本物の花だそうですよ」

四欲が意味ありげにニヤリとする。朱虹も訳知り顔でにやにやしていた。

「主上、四欲に変なことを吹きこまないでください」

蓮池のそばにもうけられたささやかな宴席で、緋燕は皇帝を軽く睨んだ。

「蓮の衣装を脱がせるのが好きだとか、花びらを脱がせた後に本物の花が現れるとか……」

「どこが変なことなんだい？　余が常日頃から思っていることを口に出しただけだよ」

普段と違い、皇帝に見上げられている。……彼の頭が緋燕の太ももの上にあるからだ。

「……何なんですか、この体勢は。これじゃ、蛍が見えませんよ」

「いいんだよ。蛍よりも素晴らしいものが見えるからね」

皇帝はご機嫌だ。彼の重さを意識すると、緋燕の頬は赤らんだ。

「みんな、下がりなさい。余はしばらく李婉儀の膝枕でやすむことにする」

刀太監ら皇帝付きの宦官たちや女官たち、四欲ら李婉儀付きの使用人たちが退席する。

「彤史も下がれ。余は寵妃とふたりきりになりたい」

「恐れながら、主上。どこであろうと、進御は遺漏なく記録しなければなりません」

ふっくらした顔立ちの女官が言った。敬事房に籍を置く彤史の一人だ。

「心外だな。夜空の下で余が李婉儀に襲いかかるとでも？」

「李婉儀さまへのご寵愛はいやますばかりですもの。ありえないこととは申せませんわ」

彤史はふんわりと微笑する。皇帝は笑って、緋燕の手を自分のひたいにのせた。

「ここでは襲わないよ。愛しい寵妃の柔肌を月明かりに犯させたくはないからね」

彤史が下がると、辺りはしんと静まり返った。

「怪文書の件、駿奇がひどく腹を立てていたよ」

皇帝は声をひそめた。緋燕の復讐について話すときは必ず人払いをしなければならない。宦官と女官だけでなく、彤史まで下がらせたのは、彼女たちの多くが宦官の妻だからだ。

「怪文書の出どころを突き止めて厳しく罰するべきだとね。不快感をあらわにしていた」

「珍しいですね。刀太監が激されるなんて」

刀太監は常に冷静沈着で、感情をあらわにすること自体まれである。

「駁奇は怪文書の類が嫌いなんだよ。以前、怪文書が原因で弟子を亡くしたことがあるから」

高級宦官は中級宦官や下級宦官を弟子にしている。刀太監も弟子を多く持っていたが、その中の一人がある侍妾と密通しているという怪文書が出回ったらしい。それは事実無根であるばかりか、彼に袖にされた宮女が腹いせにしたことだった。しかし、事実が判明する前に、刀太監の弟子は自害した。密通を糾弾されれば親族に累が及ぶので、先手を打ったのだ。

「豹太監はちっとも気にしていない様子だったな。もともと大らかな人だから」

「暦太監はどうですか？」

「悪戯だろうと受け流していたね」

他にも疑わしい宦官はいるが、反応は似たり寄ったりだった。

「仇は……動くでしょうか」

「動くよ。彼が後宮にいるなら、必ず」

皇帝の言葉は正しかった。翌々日、怪文書を印刷した司礼監の工匠が襲撃されたのだ。

「工匠を連れ去って雇い主の名を聞き出そうとしたらしい」

いつものように人払いをした後、皇帝がそう切り出した。

宮廷の印刷は主として司礼監という宦官の役所が行う。典籍の出版自体は他の役所でも行われるが、紙の質や字形の特徴などから印刷した官府を割り出すことはできる。

むろん、怨敵が怪文書の出どころを探ることを見越して、後宮警吏を配置していた。

「下手人は宮正司が捕らえて尋問している。旅司正の尋問は厳しい。すぐに口を割るだろう」

しかしながら、今度は皇帝の推測通りにならなかった。


尋問中だった下手人が死亡したと聞いたのは、司礼監の工匠が襲われた翌日のことだ。

「下手人が毒で死んだ？　自害ですか？」

恵兆王府の内院。金色の雨のような黄花藤の下で、二人は向かい合っていた。

「いや、下手人が持っていた毒物は尋問前に取り除かれていたんだ」

「じゃあ、外部の者が毒を？　でも、部外者が宮正司の獄舎に侵入するのは不可能では」

宮正司の獄舎は厳格に管理されており、各獄房には特殊な鍵が使われている。

「部外者なら無理だ。逆に言えば、内部の人間には可能だよ」

宮正司の誰かが下手人に毒を盛った。仇は後宮警吏に働きかけたということだ。

「これではっきりしたね。君の仇は後宮内にいる。それも、かなり高い位に」

獄舎の管理をするのは後宮警吏でも上位の宦官だ。彼らは宦官としては珍しく清廉で、賄賂で動かすことができない。ただし、宦官同士のつながりで動くことはある。

宮正司の上層部は正途――内書堂出身の上級宦官で占められている。彼らに働きかけることができるのは、やはり内書堂の出身者。つまり、緋燕の仇は、正途と見て間違いない。

「緋燕⁉　どうした⁉」

突然くずおれた緋燕を、皇帝がしゃがみこんで抱きしめてくれた。

あたたかい天子の腕の中で、緋燕はがたがたと震えた。

母を辱めた宦官が後宮にいる。しかも、宮正司の上級宦官を動かすことができるほど高位に。正途には数え切れないほど会った。ひょっとしたら、その中にいたかもしれない。にこやかに挨拶したかもしれない。怨讐は人間のような顔で、緋燕に微笑みかけたかもしれない。

強烈な悪寒がした。胃の腑がぎゅっと締めつけられ、何度もえずきそうになる。

「私、なんで気づかなかったの……？　そいつが母を……苦しめて……口封じに兄を殺して、父まで……私から奪ったのに……‼　家族をめちゃくちゃにした憎い仇なのに、どうして一目で見抜けなかった⁉　復讐するために入宮したんでしょう！　正途にはさんざん会ってきたのに、なんで気づかないの……⁉　今まで、いったい何を見てきたのよ……⁉」

火のような怒りが全身を駆けめぐった。肺腑をちぎられたように息が苦しくなる。

「やつは人間の仮面をかぶるのがうまいんだろう。気づかなくても、無理はない」

皇帝がいとけない子どもをあやすように背中をさすってくれる。

されるままになっていると、わななく体がおとなしくなってきた。

「調書を読み直していたら、被害者に共通点がありました」

非公式に記録された五件の事件。被害に遭った女性は、人妻で十歳の息子がいた。

「それは余も気になったよ。君の母上の事件を合わせると六件だ。偶然とは思えない」

なぜ未婚の娘ではなく、人妻を狙ったのか。なぜ十歳の息子がいる夫人ばかりなのか。

これらの疑問点が怨敵の正体を暴いてくれるだろうか。

「具合が悪いようだね」

立ち上がろうとすると、めまいがした。

「風邪気味なんです。頭が痛くて……」

「太医に診てもらおう。ちょうど沖太医が大伯母上に薬を届けにきている」

沖太医はかつて栄太后の主治医だった女性太医・林太医の一番弟子である。林太医は宮仕えを辞して道観で女道士たちに医術を教えているので、沖太医は現在唯一の女医だ。

「君の体は余のものでもある。大事にしなければならないよ」

「不公平です。主上の玉体は、私のものじゃないのに……」

なじるような口ぶりで言ってしまった。皇帝は優しく目尻を下げる。

「天子の体は民のものだ。寵妃であろうと、独り占めはできない」

さわやかな風が吹き抜けた。視界いっぱいの金色の雨が恥じらうようにざわめく。

「だが、この体に宿った心は、君が独占している」

愛しげな囁(ささや)きが胸を熱くする。緋燕は皇帝の唇に指先でそっと触れた。

心を締めつける想いは言葉にせずに、彼に伝える。ずっと抱くことを避けてきた愛おしいという気持ちは、ひとたび芽吹(めぶ)いてしまうと、どんどん心身を侵食していく。

「可愛(かわい)い顔で見つめないでくれ、緋燕」

口づけの合間に、皇帝はうめくようにつぶやいた。

「太医に診せる前に、君を襲ってしまいたくなるよ」

——彼も味わっているのだろうか。この、くるおしいほどの恋情を。

「ここでは……いやです。誰かが通りかかるかもしれませんから」

頰に朱がのぼった。まるで襲ってほしいと言っているみたいだ。

「じゃあ、誰もいないところへ行こう」

「……でも、彤史がいません」

「いないほうがいい。たまには、紅雨(こうう)のような君の声を独り占めしたいからね」

くすぐるように耳朶(じだ)に口づけされ、緋燕は龍衣(りゅうい)の袖を握りしめた。

「彤史がいなければ……主上のお声も、私だけのものですね」

本当は何もかも独占したい。心だけでなく、唇も、腕も、指先も、体温も……他の誰にも触れさせたくない。けれど、それは叶わないから、しばしの間、甘い夢に酔っていたい。

「李婉儀さま、また変な文書が出回ってるみたいですよ」

唇に紅をさしていると、朱虹が化粧部屋に駆けこんできた。

「『おまえは六年前』？　意味不明ね」

緋燕は素知らぬ顔で怪文書に記された文面を読み上げた。

「文章になってないし、何を言いたいのか分からないですよね」

眉間にしわを寄せて怪文書を睨んでいた朱虹が、ぱっと花のかんばせを輝かせた。

「全然関係ないですけど、六年前といえば、誉懐さまが私を娶ってくださった年ですよ」

「そうなの。朱虹から求婚したって言ってたわね」

「実は、七十七回、求婚しました」

「ずいぶん頑張ったのね」

「会うたびに求婚してましたから！　誉懐さまのことが好きで好きでしょうがなくて」

「なんで断られてたの？　あなたに求婚されれば、誰だってふたつ返事をしそうだけど」

女官はたいがい美人だが、朱虹は快活で表情が豊かなので、ひときわ魅力的だ。

「誉懐さまは女嫌いだったんですよ。他の女官も隙あらば言い寄ってたけど、全員玉砕でした。ふふ、難攻不落の城だったわけです。私が攻め落としましたけどね」

「相思相愛の夫婦なのに、後宮では全然そんな素振りを見せないのね」

後宮で夫と会っても、朱虹は努めて態度を変えないようにしている。

「誉懐さまは恥ずかしがり屋なんです。後宮だと人目があって落ちつかないから、仲よくするのは皇宮の外限定です。私としては、顔を合わせるたびに、いちゃいちゃしたいんですけどね。だけど、皇宮から一歩でも外に出たら、誉懐さまは私の手を握ってくるんです。私の手が大好きなんですって。桃花色の爪が可愛いって言ってくれます」

朱虹の惚気話に付き合っていると、皇帝から焼き菓子が届いた。

「まあ、おいしそう！　お茶の用意をしますね」

朱虹が部屋を出ていった後、緋燕は焼き菓子をひとつ手に取った。半分に割って、中から紙を取り出す。皇帝からの手紙だ。『おまえは六年前』の怪文書について、仇候補の高級宦官たちがどのような反応をしたか、記されている。

（……脅迫、ね）

まるで脅迫だ、と言った宦官がいる。緋燕もよく知っている人物だ。

（あとで宮正司に行こう。旅司正の意見を聞いてみたいわ）

彼だって秘密裏に探しているはずだ。亡き妻に恥辱を与えた卑劣漢を。

「鈍虚さん、元気そうだった？」

緋燕は戻ってきた朱虹に尋ねた。数日前から背鈍虚に食べ物を届けさせている。

「ええ、調子がよさそうでしたよ。李婉儀さまのご厚意をとてもありがたがってました」

「ご厚意というほどじゃないわ。もっと力になってあげられたらいいんだけど……」

内書堂の秀才だった鈍虚にとって、会話も書き物もできないのは死ぬよりつらいだろう。

「人が良すぎますよ、李婉儀さま。あの人のせいで旅司正の拷問を受けるところだったのに」

「過ぎたことよ。恨んではいないわ」

自分の言葉が胸に突き刺さった。過ぎたこと。母の件もそう思える日が来るのだろうか。


からりと晴れた夏日だった。緋燕は文蒼閣に出かけた。いつもついてくる朱虹は夫に昼食を届けに行っているので、四欲と李婉儀付きの女官たちが同行している。

「おい、水だ！　水を持ってこい！」

「早く消せ！　書庫に燃え移ったら大変だぞ！」

書庫で借りる本を選んでいると、開け放たれた窓の向こうから、宦官たちの声が聞こえた。何の騒ぎだろうと、緋燕は窓から頭を出した。窓の外は内院に面した回廊だ。

「小火ですね」

気だるそうに緋燕の隣に並んだ四欲が言った。緋燕たちがいる書庫の壁際に、いくつかの山に分けて書物が積み上げられている。発火しているのは、そのうちの一山だった。

「なんであんなところに本を出しているの？　本が傷むわ」

「あれは廃棄する本ですよ。大半が流行おくれの娯楽本です。文蒼閣では、誰も借りない古い本を定期的に処分してるんですよ。さもないと、書庫から本があふれますから」

やけに詳しい。文蒼閣の女官にでも聞いたのだろう。

「そういえば、四欲は結婚しないの？」

豹太監、刀太監、暦太監はいずれも奥方がいるし、色恋とは無縁そうな旅司正でさえ妻がいた。片や、あちこちで浮名を流す四欲には、妻がいたことはないらしい。

「俺は浮気性ですからねぇ。今でさえ、方々でご婦人から恨まれてるし、結婚したら他の女性には目移りしないとか約束できないし。ま、夫向きの宦官じゃないんでしょうね」

「案外、結婚したらガラッと変わるかもしれないわよ。朱虹はあなたのこと、顔以外全部ゴミだって言ってたけど、いいところもあると思うし、誠実な夫になるかも……って――ああっ！　あれ、『幻西機巧図録』の原典の第五巻じゃない！　どうしてあんなところに!?」

緋燕は積み上げられた本の中に愛読書を見つけて目をむいた。

「手違いで処分される本に入ったんですかね。普通、娯楽本以外はなかなか処分されないんですけど。まあ、いいでしょ。あれが燃えても、李婉儀さまのお手元に別のがありますし」

「別のなんてないわ！　『幻西機巧図録』の原典第五巻は外朝の書庫に一冊しかないんだから！　つまりあれは私が主上からお借りしているものよ！」

「はあ？　主上からお借りした本は希蓉殿の書房にあるんじゃ？　なんでこんなところに」

「こっちが訊きたいわよ！　とにかく、火が燃え移る前に取ってこなきゃ！」

「俺が取ってきますよ。李婉儀さまはここにいてください」

四欲は軽い身のこなしでひょいと窓の外に出た。回廊では、消火のために桶を持った宦官たちが右往左往している。慌てすぎて水をこぼす者もいて、罵声が飛んでいた。

（この匂い、もしかして……）

風に乗って漂ってきた濃厚な香りに、緋燕は顔をしかめた。いろんな香木を一緒くたにして燃やしたような、鼻につく臭気。波が引くように、血の気が引いていく。

「……やめて!!　水をかけないで!!」

緋燕が叫んだ瞬間——地鳴りのような爆音が響き渡った。


「使われた火薬には、紫旦砂という外来の鉱物が含まれていました」

人払いをした自室で、緋燕は宮正司から届けられた調書を開いた。

「発火直前に不審な行動をしていた人物は目撃されていません。その代わり、現場の木の枝に紐がくくりつけられていました。触れてみてください。先のほうが少し湿っています」

皇帝は緋燕から紐を受け取って、慎重な手つきで触れた。

「氷をくくりつけていたんでしょう。火の真珠の実験を覚えていらっしゃいますか？　太陽の光を集めて火をつけることは、火の真珠と同じ形に削った氷でもできます」

紐がくくりつけられていた枝は、あの時刻、強い陽光を集める位置だったのだろう。

「氷の真珠で発火させて小火騒ぎを起こし、消火させる。紫旦砂は水と火に反応して急激に燃焼する性質があるので、消火のために水をかけたとたん、爆発したんです」

紫旦砂の消火には、水ではなく砂を使う。もっとも、紫旦砂は新種の鉱物で、まだ広く知られているわけではないので、宦官たちが消火法を間違えたのは無理もない。

「下手人の狙いは君だね、緋燕」

それは疑いようがない。『幻西機巧図録』の原典の第五巻を希蓉殿から盗み出し、処分される本の中に紛れこませたのは、緋燕を火元におびき寄せるためだ。

「私の本棚はからくり仕掛けなんです。主上にいただいた大事な書物は、鍵をつけて保管していました。その鍵を扱えるのは、私と、もう一人だけです」

朱虹の配下にあたる若い女官だ。彼女はつい先ごろ、廃園の池で遺体として発見された。宮正司によれば、死因は溺死。事切れた時刻は、爆発事故の前後と思われる。彼女は蘇貴人に脅されて『幻西機巧図録』の原典の第五巻を盗んだと遺書に記していた。

すぐさま宮正司が蘇貴人の部屋を調べ、犯行に使われたものと同じ紐と、紫旦砂の用法が記載された格致書を見つけた。宮正司に詰問され、蘇貴人は叫んだという。

『どうして証拠が残っているの⁉　全部、処分したはずなのに‼』

今日亡くなったのは、女官だけではない。消火活動をしていた若い宦官が三名、命を落とした。五名が重傷。十数名は軽傷を負って治療を受けている。

「四欲も……重傷です。私の代わりに、本を取りに行って、顔に火傷を……」

震える手で口元を覆う。爆発により、書物の山は一気に燃え上がった。『幻西機巧図録』の原典を手に取ろうとしていた四欲も炎に包まれ、ひどい火傷を負ってしまった。

緋燕は負傷した宦官たちに太医の治療を受けさせようとしたが、老齢の太医に断られた。

『太医院が治療するのは、主上はもちろんのこと、尊い皇族のみなさま、后妃さま、侍妾さま、あるいは進御をしたご婦人です。我々の両手は高貴な方々に触れるためにありますから、〈欠けた者〉の治療はいたしません。彼らに触れれば、穢れてしまいますので』

宦官には宦官専門の医官がいるのだという。――皇宮の外に。

『怪我人を運び出している暇はありません。ただちに治療を始めてください』

『ですから、我々は〈欠けた者〉の治療など……』

『私は寵妃です、太医。あなたの清らかな両手を処刑台で切り落とさせることもできます』

緋燕はすっと姿勢を正して、老齢の太医を冷ややかに見た。

『想像なさい。私があなたに不埒な行為をされたと主上に泣いて訴えたらどうなるかしら？』

『ばかなことおっしゃいますな。そのような、事実無根の妄言を主上が』

『主上がどちらの味方をなさるか、試してみますか？』

緋燕は艶然と微笑んだ。

『早く仕事をなさい、太医。さもないと、悲鳴を上げますよ』

老齢の太医は配下たち、宦官たち、女官たちを順繰りに見た。誰もが太医から視線をそらす。後宮において、今を時めく寵妃の権力は絶大だ。進んで彼女の敵になる者はいない。

「……分別のないことをしました。太医を脅して、宦官の手当てをさせるなど」

緋燕は長い袖を払って、床にひれ伏した。

「謹んで処罰をお受けいたします。なれど、どうか治療中の宦官たちにはお咎めなきように」

「やめなさい、緋燕。君も怪我人だ。体に障るよ」

「私はかすり傷です。ご心配なく」

四欲を助けようとして両手に軽い火傷を負ったが、数日で治る怪我だ。

（……誰かが、蘇貴人をそそのかした）

蘇貴人は書物に興味がなく、文蒼閣に足を運んだこともなかった。氷の真珠も紫日砂も知っているはずがない。何者かが、彼女に策を授けたのでなければ。

〈何者か〉として真っ先に思い浮かぶのは怨敵だ。彼は怪文書の出どころが緋燕だと気づいている。怪文書の原文は、細心の注意を払って作成した。紙にも墨にも筆跡にも細工をして、手がかりは残さなかったのに、どこかに落ち度があったのだろうか。

これで終わりではないだろう。寵愛を妬む者は他にもいる。怨敵はその中の誰かを隠れ蓑にして、緋燕を狙ってくる。さらなる犠牲を避けるため、こちらも動かなければ。

（……仇を捕らえるには、相応の罪が必要だわ）

すでに目算を立てている。仇敵を陥れる罠を——だが、緋燕の一存では決められない。

「恐ろしい目に遭った君に、慰めの詩を贈ろう」

皇帝は緋燕を立ち上がらせた。机に向かい、料紙を広げる。さらさらと紙面を滑る穂先から生み出されたものは、詩の形式をとった詩ではない文章だった。

「……主上……！」

青くなった緋燕の手を、皇帝はいたわるように掌で包む。

「君の苦しみは分かる。余も同じ気持ちだ。しかし」

これが最も有効だ、と皇帝が耳打ちした。〈詩〉も耳打ちも、盗聴を避ける手段だ。

緋燕は目を閉じた。目尻からあふれた涙が頬を焼く。

（……主上は、こうまでして、私にお力を貸してくださるのね）

冷酷な策だ。誰にとっても。それでも、ここではさして珍しいことではない。

優しさは弱さだ。慈悲深さは愚かさだ。情は足かせだ。良心は無益だ。非道でなければ生き残れない場所なのだ、ここは。そして復讐者の道も、同じく人の道から外れている。

（——覚悟を決めなければ）

いったん進み出せば、後戻りはできない。たとえ、最悪の事態になったとしても。

「何があろうと、どんな結果になろうと、余は君を愛すよ」

耳朶を撫でた声音が胸を揺さぶった。あふれる想いのまま、皇帝に抱きつく。

「私も……愛します。何があっても、どんなことが起こっても、あなたを」

言葉にするのを恐れていた感情が体を満たしている。緋燕は幸せの最中にいた。


「こんなに早くから因内監のお見舞いにいらっしゃるんですか？」

出かける支度をしていると、隣室から入ってきた朱虹が心配そうに眉をひそめた。

「太皇太后さまと栄太后さまがいらっしゃらないでしょ。朝見がないから時間があるのよ」

昨日、呉太皇太后と栄太后は連れ立って出御した。郊外の道観に行啓するためだ。還啓までの約十日間、朝見はおやすみということになる。

「お見舞いは、あまりたびたびではないほうがよろしいのでは……」

「どうして？　四欲は重傷よ。お世話してあげなきゃ」

「……変な噂になってるんですよ。李婉儀さまと、因内監が……特別な間柄だって。もちろん、根も葉もない噂です。……ですが、くだらない噂でも、李婉儀さまの名誉にかかわります。他にも、いやな噂が聞こえてきているし……李婉儀さまは、子を身籠れない体だ、なんて……。寵愛を妬んだ者の悪質ないやがらせに決まっています。でも、用心して……」

「朱虹以外は下がりなさい」

緋燕は女官たちを下がらせ、朱虹とふたりきりになった。

「二つ目の噂は本当よ。沖太医に言われたの、私は懐妊を望めない体だと」

朱虹が息をのむ。緋燕は視線を伏せた。

「恵兆王府で沖太医に診ていただいたとき……分かったのよ」

「……主上はご存じなんですか」

「いいえ、ご存じないわ。沖太医には秘密にしてくださるようお願いしたから。でも、いずれは分かるでしょうね。いくらご寵愛を賜っても、身籠れないんだもの」

「お気を落とさないでください。誤診かもしれませんし、治療すればよくなるかも」

「ええ、治療は受けているわ。沖太医がいい薬をくださったのよ。身籠りやすいように体を内側から変えていく薬をね。だけど、副作用が強くて、吐き気やめまいがひどいの」

「それで最近、体調を崩していらっしゃったんですね」

朱虹が痛ましげにうなずく。緋燕は彼女の白い手を握った。

「あなたに話せて、肩の荷が下りたわ。秘密を抱えるのは、思った以上に苦しいわね」

「つらかったでしょう。でも、これからは私が力になります」

「分かっていると思うけど、秘密にしてね。誰にも言わないで。主上にも、あなたの夫にも」

「秘密は守ります。李婉儀さまの信頼にお応えするのが、私の務めですから」

ありがとう、と緋燕は微笑んだ。

朱虹の手はとてもあたたかい。忌々(いまいま)しい怨敵の妻とは、思えないほどに。

「はい、あーんして」

緋燕が薬粥を匙ですくって差し出すと、四欲は毒虫を口に突っこまれたような顔をした。

「……なんで毎日毎日、李婉儀さまが俺の見舞いにくるんですか」

「あなたのことが心配だからに決まってるじゃない」

「心配なのはこっちですよ」

四欲は薬粥の器を奪い取り、がつがつと雑にかきこんだ。

「聞きましたよ。呉貴人が寧妃に封じられたらしいじゃないですか。寧妃っていったら、十二妃の最下位、婉儀よりはるか上ですよ。俺の見舞いなんかしてる場合じゃないでしょう」

「呉寧妃さまとはお友達よ。彼女が冊封されて、私も嬉しいわ」

「李婉儀さまは、だいぶ侍寝してないんでしょ。うかうかしてると寵愛を奪われますよ」

「今は寵愛のことを考えてる余裕はないの。あなたのことで手いっぱい」

緋燕は包帯で覆われた四欲の顔の左半分に触れようとしたが、痛むといけないのでやめた。

「太医の治療に問題はない？　至らないところがあれば、私から言っておくわ」

「十分すぎるほど丁寧な手当てを受けてますよ。にしても、太医を脅してまで俺らの治療をさせなくてもいいのに。宦官なんか使い捨てなんだから、わざわざ助けなくても――」

「使い捨てだなんて思ってないわ。とても大事よ。特にあなたはね、四欲」

緋燕は空の器を受け取った。桶に水を注ぎ、やわらかい布をひたしてかたく絞る。

「さて、食事は済んだし、体を拭いてあげるわ。服を脱いで」

「は⁉」

「日差しが強すぎるわね。窓の掛け布をおろしましょう。明るいと恥ずかしいでしょうし」

「いや、恥ずかしいとかそういう……ちょっ、なんであなたが脱いでるんですか⁉」

「だって、暑いのよ。汗をかいたから、衫が肌に張りついて気持ち悪いの」

緋燕は蓮花模様の大袖衫を脱ぎ捨てた。今日は蒸し暑い。衫の内側には、胸の上まで引き上げた珊瑚珠色の裙しか着ていない。両肩と背中の上部があらわになり、涼しくなった。

「さあ、衣を脱ぎなさい。大丈夫、二人きりよ。私とあなた以外、誰もいないわ」

「だからいやなんですって！」

「怪我人は遠慮しないの。しょうがないわね、私が脱がせてあげる」

「ええっ⁉　な、何言って……うわ、ちょっ、やめっ……！」

「――取りこみ中かな？」

緋燕が四欲の夜着の合わせ目を力任せに開いたとき、扉付近の衝立の陰から皇帝が姿を現わした。そばに控えた刀太監は気まずそうに視線を伏せている。

「うらやましい状況だね、因内監。素肌をあらわにした美姫に襲われるとは」

「ち、違いますよ主上！　李婉儀さまはご親切にも看護してくださっているだけで」

「へえ。看護というのは、あられもない姿の女性が行うものだったかな、駿奇？」

「李婉儀さまが……薄着でいらっしゃるのは蒸し暑いせいかと。窓が閉まっていますので」

「確かに蒸し暑い。おまけに掛け布までおろされている。おかげで真昼なのに薄暗いな」

　皇帝は冷然と微笑んだ。龍眼には、苛立ちが色濃くにじんでいる。

「四欲が恥ずかしがって服を脱がないから、掛け布をおろしたんです。他意はありません」

「……李婉儀さま！　そのおっしゃりようだと他意しかありません……！」

「なぜ青くなっているの？　私たち、疑われるようなことはまだしてないわ」

「まだ!?　まるでこれからするみたいな言い方やめましょうよ！」

「これから体を拭いてあげるんだから、見る人が見れば誤解するかもね」

「……体を拭くだって？　君が――余の妃嬪が、宦官の妻のまねごとをするというのか」

　皇帝が声音を尖らせる。緋燕は四欲を見つめたまま答えた。

「四欲は私のせいで怪我をしたんです。私が世話をするのは当然でしょう」

「しゅ、主上！　李婉儀さまは俺を哀れんでいらっしゃるんですよ。慈悲の心で……！」

「だろうね。緋燕は慈悲深い女だ。誰にでも情けをかけてしまう。〈欠けた者〉にさえも」

　底冷えのする綸言が蒸し暑い室内を一瞬にして凍りつかせた。

「好きなだけ因内監の世話をするがいい、李婉儀。そのはしたない恰好で」

「本当に誤解なんです！　李婉儀さまもちゃんと弁解してくださいよ！」

「弁解するようなことをした覚えはないわ。変な誤解をなさる主上が悪いのよ」

緋燕が冷たい布で首筋を拭いてやると、四欲は死にかけた魚みたいに口をパクパクさせた。

「李婉儀は因内監の世話で忙しいようだな。駿奇、豹太監に伝えなさい。進御の名札から、李婉儀のものを取り除くように、と。……いや、捨ててしまえと」

皇帝は龍衣をひるがえして出ていく。刀太監はこちらを一瞥し、駆け足で追いかけた。

「……終わった。俺の人生、粉みじんに砕け散った……」

四欲は放心した。糸が切れた操り人形みたいに、褥にぶっ倒れる。

「よりにもよって密通を疑われるとか……しかも、こんな色気も可愛げもない変人妃嬪が相手とか……娑婆で食った最後の飯がクソまずい薬粥とか……いろんな意味で最悪だっ！」

「色気も可愛げも、料理の才能もないけど、悪だくみをする才能なら少しはあるわよ」

駄々っ子よろしくじたばたする四欲に、今後の計画を耳打ちする。

「で、協力すれば、いくらいただけるんです？」

四欲が口の端をつり上げる。緋燕は彼の耳元で金額を提示した。

「三割ほど上乗せしてくださるなら、その話、乗りますよ」

「ちゃっかりしてるわね。でも、嫌いじゃないわ、あなたの性格。使い勝手がいいもの」

「どんどん使ってください。金のためなら親だって売りますよ。親なんていませんけど」

二人して黒い笑みを浮かべていると、慌ただしい足音が駆けこんできた。

「大変です因内監！　今、直殿監から連絡があって……」

衝立の向こうから現れた少年宦官は、牀榻の上の二人を見て赤面した。

「気にするなよ。金の相談をしてただけだ。そんなことより、直殿監から何だって？」

「あっ、はい。直殿監で旅司正が事故死なさったと」

「はあ⁉　石鼠が死んだ⁉」

「あっ、言い間違いです！　死んでませんじゃなかった瀕死です！　事故に遭われたんです。階段から転落して……あれ、事故じゃなくて事件だったかな。あ、そうだ。事件です。背鈍虚という者から、突き落とされたとか。でも、当人は犯行を否定しているそうで……」

　まったく予測していなかった事態ではない。旅司正は最愛の迷氏を苦しめた宦官が誰なのか、独自に捜査していた。宮正司に属する彼は、上官の命令を無視して五件の調書を残した老官吏よりも犯人に近い場所にいたから、敵の足取りをたどるのは難しくなかった。

　ゆえに、危険な立場にいたのだ。

『十歳の息子がいる母親。これが被害者に共通している条件です』

　先日、迷氏を辱めた犯人の目星がついているか、旅司正に尋ねた。彼は老官吏が記録に残した五件以外に、六件の事件を割り出していた。これには李家の事件が含まれていた。

『母親に恨みを持つ者の犯行ではないかと仮説を立てて調査を続けていると、ある自宮宦官が目にとまりました。彼は十歳のとき、実母に去勢されています』

　刑罰による去勢ではなく、民間で行われる去勢を自宮という。四欲のように富貴を志して自らの意思で受ける者もいれば、本人の意思を無視して親族が行う例もある。

『富貴を志す者はあとを絶ちませんし、貧民が老後の貯えを求めて息子や孫を自宮させた例は、枚挙にいとまがない。彼らのために、刀子匠という自宮の専門家がいます。料金は銀六両。後払いができますので、貧しい者でも刀子匠による比較的安全な手術を受けられます』

刀子匠は身元保証人がいない自宮志願者には手術をしない。

『問題の自宮宦官は、裕福な商家の長男で、本来なら自宮とは無縁です。実母である煩氏が銀六両を支払えないわけはないし、身元保証人だって用意できるはずなのに――』

『待ってください。その自宮宦官は……刀子匠の手術を受けていないんですか？』

『文字通り、〈実母に去勢された〉んです。……おぞましいことですが』

緋燕は吐き気を催した。旅司正は緋燕の気分が落ちつくまで待ってくれた。

『煩氏が何を思ってそんなことをしたのか、記録に残っていないため分かりません。煩氏自身、十年以上前に亡くなっています。ただ、この自宮宦官は今も後宮にいます』

『犯行の証拠になるものは、残っていませんか。証人とか』

『証人はいません。犯行には多くの使用人が関与していたはずですが、彼は結婚前に使用人を全員解雇しています。彼らのその後の足取りは、誰ひとりとしてつかめていません』

口封じされたのだ。生かしておけば、どこかから話がもれてしまうから。

『彼の本名は、即誉懐。幾万の宦官たちが夢見る太監を名乗っています』

六年前、即誉懐は舎朱虹を娶っている。

『疑わしい点はいくらでもあります。たとえば、犯行時、決まって彼が皇宮にいないことや、彼の邸が一時期、女の悲鳴が響く幽霊邸として有名だったこと……。だが、肝心の証拠がない。ましてや、相手は太監です。迷氏の無念を晴らしてやりたくても、手が出せない』

憤りを隠せない表情の旅司正に「気をつけてくださいね」と緋燕は忠告した。

『敵はあなたが真実に近づいていることに勘付いているかもしれません。命を狙われるかも』

『実を言うと、これまでに何度かありました。刺客を送られたり、毒を盛られたり……いずれの場合も彼が犯人だという証拠はなかった。私は――宮正司の上級宦官は多方面から恨まれているので、心当たりは腐るほどある。彼かもしれないし、彼じゃないかもしれない』

怨敵は巧妙に犯行の痕跡を消している。正攻法で戦っても、勝ち目はない。

『あなたも注意なさってください、李婉儀さま。後宮内の不審死は曖昧な結末を迎えることが少なくない。件の自宮宦官は、そのことをよく知っています』

直殿監で事故に遭った旅司正は、宮正司の官舎に運ばれた。

「沖太医に治療をお願いしました。じきにいらっしゃいます」

緋燕は旅司正が横たわる牀榻に駆け寄った。彼の足は無惨に折れ曲がり、頭からは出血している。苦しそうに胸が動き、ときおりうめき声がもれた。

「沖太医は患者をえり好みなさいません。先日も四欲を診てくださいました。旅司正も、きっと治してくださいます。ですからどうか、持ちこたえてください」

「……なぜ、李婉儀さまが、こんなところに……」

「あなたが事件に遭ったと聞いて駆けつけたんです。四欲も来ていますよ。何があったのか、あとで聞かせてください。今は話さなくていいですから。お痛みが」

「……じゃない……んです、私を、突き落としたのは……っ」

旅司正が血を吐く。緋燕は清潔な布で彼の口元を拭った。

「鈍虚では、ない……」

そうだろう。背鈍虚が旅司正を突き落としたなんて、即誉懐にとって都合がよすぎる。

「鈍虚さんの件は私が預かります。旅司正はご自分のことを一番にお考えになって」

「このまま、死んだほうがいいのかもしれません……。この世に未練はありませんから」

「ばかなことをおっしゃらないで。あなたが死んだら、迷夫人の供養は誰がするんです？」

旅司正は目を閉じた。口元にほのかな笑みが浮かぶ。

「……あなたは、変わり者だ。〈欠けた者〉にさえ、憐れみをかけてくださるとは」

「誰だって〈欠けた者〉ですよ、旅司正。すべてが備わった完璧な人間なんていません」

緋燕は旅司正のひたいに触れた。傷口を避け、月影に触れるようにそっと。

「私、まだあなたの拷問を受けたことがないんです。いつか受けてみたいと思っていました。お願いですから、生きてください。私を拷問するまでは、死なないで」

旅司正はまぶたを開けずに笑った。

「……承知しました。ただし、手加減はしませんよ。御覚悟なさいませ」

「鈍虚さんに毒を盛ったのは、彼を旅司正殺しの犯人に仕立て上げるためだったのよ」

宮正司の外で、緋燕は近くの空き部屋に四欲を引き入れた。

「喉を焼かれてしゃべることができず、手が震えて文字も書けない。事件現場で何があったのか、伝えることができないわ。首を横に振るだけでは、証言にならないもの」

「……とすると、最初から仕組まれていた？　折貴人の事件も……」

「純禎公主さまの姿絵を盗むなんて、鈍虚さんがそんな大それたことを思いつく？　ばれたら一巻の終わりよ。主上が姉君を大事になさっていたのは、語り草なんだから」

旅石鼠、因四欲、背鈍虚は内書堂の同期だ。首席修業の石鼠は十八で内監に匹敵する司正の位につき、参席修業の四欲は六年前まで内監だった。一方、次席修業の鈍虚は少監どまり。

宦官は懸命に働くだけでは出世できない。目端が利き、非情で、奸智にたけた者ほど高みにのぼる。鈍虚は秀才だが愚直だった。その人となりが出世を遅らせていたのだ。

「誰かが、鈍虚さんに助言したのよ」

「鈍虚のやつ、石鼠には自分が考えたことだって供述したんですよ」

「義理堅い人なのね。そのとき、言えばよかったのに。自分はそそのかされたんだって」

宦官は互いをかばい合う傾向がある。鈍虚はまさに宦官らしい宦官だ。

「あなたにさっそく働いてもらうわよ。彼女は動揺している。この好機を逃す手はないわ」

「彼女って……まさか」

「さっき旅司正がおっしゃったの。自分を突き落としたのは、女だったと」

沖太医と入れかわりに部屋を出る前、旅司正が「犯人は女官でした」と緋燕に耳打ちした。

(朱虹は鈍虚さんに昼食を届けるため、直殿監に行っていた)

旅司正が突き落とされたのは、正午過ぎである。おそらく、場当たり的な犯行だ。旅司正に息があったのが、何よりの証。用意周到な暗殺者なら、標的にとどめを刺す。

(旅司正は鈍虚さんから、即誉懐の名を聞き出そうとしていたんじゃないかしら)

即誉懐にそそのかされて純禎公主の姿絵を盗んだと言わせようとした。説得する際、即誉懐が犯してきた数々の罪を打ち明けたかもしれない。朱虹は旅司正の話を聞き、発作的に彼を突き落としたのではないか。旅石鼠が愛する夫を脅かす存在だと知ってしまったから。

即誉懐はまだこの事件を知らない。切り札を手に入れるなら、今だ。


「朱虹の行方が分からないだと？」

即誉懐が声を荒らげると、側仕えは鞭打たれたように跪いた。

「申し訳ございません……。奥方さまが恵兆王府にお入りになったところまでは見届けましたが、その後の足取りがつかめず……」

「朱虹は何の用件で恵兆王府に行ったんだ？」

「李婉儀の遣いかと。ずいぶん慌てたご様子でした」

「なぜ忍びこまなかった？　片時も離れず朱虹を監視しろと命じていたはずだぞ」

「恵兆王府に立ち入った宦官は見つけしだい斬ると、恵兆王が申し渡していますので……」

「怖気づいたか、役立たずが」

誉懐は側仕えの胸を蹴った。いささかのためらいもなく。

「恵兆王府から出たところは見なかったのか」

「そ、それが妙なのです。別の者に奥方さまがいつ頃、お帰りになったのか尋ねさせたのですが、恵兆王府の使用人は、奥方さまはお見えになっていないと言うばかりで……」

「ばか正直に引き下がったのか。能無しめ」

今度は肩を蹴る。激憤に任せ、地面に倒れこんだ側仕えの頭を踏みつけた。

「ひ、引き下がったわけでは……！　恵兆王府を見張らせています！　動きがあれば……」

誉懐は無言で役立たずの側仕えを蹴りつけた。蹴鞠でもするように、何度も。

「――朱虹の身に何かあったら、おまえの生き胆を野良犬の餌にしてやる」

朱虹は恵兆王府にいる。李緋燕は恵兆王妃の遠縁の娘。何らかの口実で朱虹を皇宮から出し、恵兆王妃に働きかけて身柄を拘束したのだ。最愛の妻が誉懐の泣きどころだと踏んで。

最初に怪文書を見たときから、こうなることを恐れて、誉懐は朱虹に護衛をつけていた。

李緋燕が復讐をもくろんでいるなら、誉懐自身ではなく、まず朱虹を狙うに違いないと。李緋燕を信頼している朱虹は、いつ復讐者の餌食になっても不思議ではなかった。近いうちに、宮仕えをやめさせるつもりだった。李緋燕の目の届かない場所に、隠そうと考えていた。

もっと早く朱虹を後宮から引き離すべきだったのだ。李緋燕が行動を起こす前に。

後悔しても遅い。李緋燕は切り札を手に入れた。誉懐を苦しめるのに、これほど効果的な手札はない。怨念を晴らすため、誉懐を業苦の淵に沈めるためなら、残忍な仕打ちも辞さないだろう。李緋燕には、そうする理由がある。

（……だとしても、朱虹に罪はない）

朱虹が旅司正を突き落としたことは、側仕えから連絡を受けた。朱虹は人を殺めるような女ではない。もし、そんなことをするとしたら、誰かを守るためにやむを得ずであろう。

誉懐は己が罪悪を朱虹に打ち明けていない。徹底的に隠し通してきた。過去を嗅ぎまわる者がいれば、口を封じた。証拠は消した。証人も消した。朱虹との平穏な生活のため、腐臭を放つ昔日は消し去ったはずだった。しかし、旅司正が懸念材料だった。

彼は亡き妻の仇を討とうとしており、誉懐を脅かす存在だった。いずれ消さねばならなかった。そのために背鈍虚に毒を盛った。彼を旅司正殺しの犯人にするために。背鈍虚は折貴人の事件で降格されており、この件を調べたのは旅司正なので、彼に恨みを抱いていたという理屈が成り立つ。背鈍虚が自分で否定できなければ、偽りの動機は真実になる。

宮正司の次官の暗殺は、軽々しく行えない。犯人を用意し、時期を選び、慎重に慎重を期して事を運んでいた。それなのにまさか……こんなことになるとは。

朱虹は誉懐の秘密を守ろうとして旅司正を突き落としたのだと、即座に察しがついた。夫の後ろ暗い過去を知り、彼女はさぞかしうろたえただろう。抱きしめて慰めてやることができればよかったのだが、誉懐はその場にいなかった。それどころか、皇宮にすら。

（入宮後すぐに李緋燕を始末しておけば……）

李緋燕に見覚えがあると思ったのは、大婚の夜だ。

彼女の顔立ちが記憶の一部を鈍く疼かせた。それが何なのか判然としなかったが、李緋燕の身上書に再び目を通したとたん、毒をあおったように心臓がわななないた。

彼女は誉懐の罪過を知る者だ。事件当時、幼かったとはいえ、誉懐を恨んでいるかもしれない。不安に見舞われたものの、早急な行動は控えた。たとえ彼女が母の仇を憎んでいるとしても、一侍妾に何ができようか。恐れるに足りない小娘だ。

悠長にかまえていられなくなったのは、李緋燕が進御したと聞いてからだ。

あろうことか、彼女は寵姫になった。後宮において、寵愛を独占する女がどれほどの力を持つか、二十数年間、後宮で生きてきた誉懐は熟知していた。

李緋燕は排除すべき敵になった。彼女が後宮にいる限り、誉懐は安心できないのだ。

背鈍虚に純禎公主の姿絵を盗ませたのも、呉貴人に幽霊騒動を起こさせたのも、李緋燕を排除するための策だった。前者は爪化粧の痕跡を残すという折貴人の愚行により失敗した。

後者は物好きな李緋燕を幽霊騒動で誘い出して始末する計画だった。恋人との密会現場を見られた呉貴人が口封じのために殺害したかのように見せかけて。……が、女幽霊の噂は標的のみならず、皇帝まで呼び寄せてしまい、計画は不首尾に終わった。

そして、例の怪文書だ。一度目の怪文書は出どころを探ることができなかった。

二度目の怪文書は首尾よく原文を手に入れた。墨や筆跡には何の特徴もなかったが、紙からは紫旦砂の臭いがした。しかも、水を使わずに燃焼させたときの独特の臭気。李緋燕の仕業だと直感した。彼女は日常的に紫旦砂の実験をしており、むろん李家の事件には詳しい。

もはや、一刻の猶予もなかった。文蒼閣で爆発事件を起こして殺すはずだったが、またしても李緋燕は難を逃れた。つくづく悪運の強い女だ。

「だっ、旦那さまっ……！　たった今、李婉儀の遣いがこちらを、旦那さまにと……」

動かなくなった側仕えを見下ろしていると、少年宦官が駆けてきた。

手渡された合子のふたを開け、中身をのぞきこむ。直後、憤怒が視界を焼き尽くした。

それは桃花色の爪だった。十枚ある。綺麗に並べて、貼りつけられている。美しい爪だ。ところどころについた鮮烈な赤が、艶やかな模様のようで……。

「……恵兆王府の監視を続けろ」

誉懐は自室に戻った。文を二通書く。

この頃、侍寝はもっぱら呉寧妃が務めている。朝廷では栄家が呉氏の不貞を触れ回って呉家の勢力を削いでいたが、呉氏が十二妃に昇格したことで、栄家には逆風が吹いた。呉寧妃は栄家の頭を押さえたい皇帝にとって都合がよく、もはや李緋燕のみを寵愛する理由がない。

明後日、皇帝は離宮に行幸する。随行者の名簿には真っ先に寵妃の名が載るが、李緋燕の名はなかった。皇帝は李緋燕と因四欲の仲を疑い、希蓉殿への出御もなくなったという。

寵愛を失った宮女はみじめだ。李緋燕もいずれ身をもってその事実を知るだろう。

（主上の行幸中に、あの娘を始末する）

今度こそ仕損じはしない。朱虹に手を出したことを後悔させてやる。

「お待たせしてしまいましたね」

緋燕は月明かりの下にたたずむ宦官に声をかけた。

斗牛（水牛の角を持つ三本爪の龍）が刺繡された黒紫色の官服をまとう長軀は惚れ惚れするほど端麗だが、そつなく整った天人のような面輪には、憔悴の色が濃い。

真夜中の黄昏園。湖に面した楼閣の露台で、緋燕は仇敵と対峙していた。

呼び出したのは彼だが、そう仕向けたのは緋燕だ。

思い返せば感慨深い。彼とは大婚で顔を合わせている。妃嬪になってからは毎日。気品あふれる美貌の宦官——それが彼の印象だ。多くの女性を辱めた卑劣漢には到底見えない。

「朱虹を返していただきたい」

開口一番、怨敵は言った。懇願するような口ぶりで。

「先日、お返ししたはずです。朱虹の爪、お好きなんでしょう?」

「……あなたが私を恨むのはやむをえない。しかし、朱虹は関係ありません。彼女は私の過去について何も知らないんです。私に罪はあっても、朱虹にはない」

「朱虹は旅司正を突き落としました。本人も認めています。これが罪でなくて何だと?」

「私のためにやったことです。彼女ではなく、私の罪過だ」

怨敵はくずおれるように跪いた。

「伏してお願いいたします。我が妻を無事にお返しください。もし、嘆願を聞き入れてくださるなら、私は生涯あなたの手足となり、犬馬の労をいといません」

「朱虹をお返しすれば、代わりに太監が手に入るというわけですか。悪くないですね」

「恐れながら、李婉儀は有力な後ろ盾をお持ちでない。後ろ盾のない妃嬪は……」

「私の身を案じてくださってありがとう。でも、ご心配には及びません。私はもともと寵愛なんて望んでいなかったんですから。私が入宮したのは復讐のため。ただ、それだけです」

あちらをごらんなさい、と緋燕は湖を指さした。鏡のような湖面に、小舟が一艘。

「……あれは……まさか」

怨敵は弾かれたように立ち上がり、露台の欄干から身を乗り出した。湖面を滑る小舟の上に朱虹の姿がある。彼女は手足を縛られ、ぐったりとして小舟の縁に寄りかかっていた。

「いったい何をなさるおつもりか」

「何って、あなたを懲らしめるんですよ。――四欲」

緋燕が呼ぶと、そばに控えていた四欲が進み出る。彼の手には弓矢が握られていた。

「矢の先端に火薬をつけた火箭（火矢）です。これで朱虹を射れば、どうなるでしょう？」

「おやめください、李婉儀！　朱虹はあなたの女官ではありませんか！」

「私の母を辱めた宦官の妻でもあります。それを思えば、親愛より憎悪のほうが勝る」

「朱虹は私の過去を知らなかったんです……！　彼女は関係ない、恨むなら私を」

「あなたにさらわれた婦人たちだって、あなたとは関係なかったわ」

調書に残った最初の犯行は、十五年前。その前年、実母・煩氏が事故死している。

「あなたの犯行が母親への怒りによるものなら、なぜ煩氏自身に復讐しなかったのですか」

十歳の息子を持つ母――被害者たちは、自分を去勢した煩氏の代役ではなかったか。

「それとも、実母を殺すだけでは足りませんでしたか。煩氏の事故死だって、あなたの」

「私は煩氏を殺していません」

誉懐は思いのほか淡々と答えた。月光を映す彼の瞳は、背筋が粟立つほど冷めている。

「いずれ殺すつもりでした。思いつく限り残虐な方法で。そのために生かしておいた。家業が傾けば手を貸してやった。病だと聞けば薬を届けてやった。煩氏が悩んでいた妹たちの嫁ぎ先も世話してやった。孝行者だと親族は称賛しましたが、孝行などしたつもりはない。すべては煩氏を生かすためにやっていたことです。宿怨を晴らすその日まで、死なないように」

だが、死んでしまった。大路を渡る途中、暴走した馬車にはねられて。

「暴れ馬に踏み砕かれた死体をご覧になったことがありますか？　あれは遺体じゃない。単なる肉塊ですよ。人間の骸だと言われなければ、化け物の死骸だと思ったでしょう。いや、真実――化け物の死骸だったんです。あの女は、私の母は……煩氏はまさしく、鬼女だった」

煩氏は貞淑な女だった。二男三女を産み、まめまめしく夫に仕えたが、猟色家の夫は次から次に愛妾をこしらえて妻を軽んじる。煩氏は夫を恨んだ。そして、夫に顔立ちが似ている長男の誉懐を蛇蝎のごとく嫌った。否、憎悪したのだ。骨の髄まで。

「私は嫡子でありながら、即家に仕える奴婢よりも下の扱いを受けていました」

煩氏は五つの誉懐を鶏小屋に住まわせた。食事は地面にぶちまけて踏みつけたもの、衣服は夏も冬も同じもので、汚れても破れても取りかえてもらえない。彼を哀れんだ乳母があたたかい食事や清潔な衣服を与えると、煩氏は激怒した。乳母にではなく、誉懐に。

『乳母に色目を使うなんて、おまえは父親そっくりね!!』

誉懐は失神するまで打擲された。目を覚ますと、牀榻に寝かせられて手当てを受けていた。

ああ、これまでのことは悪い夢だったのだと、誉懐は心から安堵したが。

「傷が癒えれば、鶏小屋に逆戻りです。ささいなことで熉氏の逆鱗に触れ、悪罵され、打擲される。同じことが繰り返されました。飽きもせずに、何度も何度も……」

熉氏はあえて誉懐を生かしておいたのだ。憂さ晴らしの道具として。

反対に、顔立ちが自分に似る次男は溺愛した。贅沢な部屋に住まわせ、毎日ごちそうを食べさせ、綺羅をまとわせ、欲しがるものは何でも与え、母の愛を惜しみなく注いだ。

地獄の淵で、誉懐は十になった。ある夜のことだ。熉氏が鶏小屋にやってきた。

『今までごめんなさいね。わたくしは悪い母だったわ。でも、心を入れかえたの。あなたに八つ当たりするのはやめるわ。今夜からは良い母になるから、わたくしを許して』

熉氏は鶏小屋の隅に縮こまっていた誉懐に歩み寄り、憎み蔑んできた息子を抱きしめた。

「愚かにも……私は、鬼女の虚言を信じた」

熉氏は誉懐を湯浴みさせ、真新しい衣服を着せて、豪勢な料理が並ぶ食卓につかせた。母親に手ずから給仕されて食事をするのは、生まれて初めてのことだった。

『まあ、どうして泣いているの？　お料理が口に合わなかった？』

蕩けるような甘い声で尋ねられ、誉懐はしきりに首を横に振った。

『……母上が、私に優しくしてくださるから……とても、嬉しいのです』

ずっと弟をうらやんできた。弟のようにふるまえば母に好かれるのではないかと考えて、言動をまねしたこともあったが、同じことをしても、弟は愛され、誉懐は憎まれた。

しかし、とうとう、母は誉懐にも微笑(ほほえ)みを向けてくれた。この日を幾度、夢見たことだろう。母に愛(いと)しげに名を呼ばれ、気遣われて、我が子として大切に扱われる日を――。

満腹になると眠くなった。母が布団(ふとん)に寝かせてくれた。子守唄さえ歌ってくれた。誉懐は幸せだった。いっそこのまま死んでしまいたいと願うほどに。

「夢は悪夢に変わりました。いえ……初めから悪夢だったんです。何もかも」

幸福な微睡(まどろ)みの中にいた誉懐は、絶叫とともに目覚めた。彼は牀榻に手足を縛(しば)りつけられていた。焼け焦げた視界に映ったのは、血まみれの短刀を握る母の姿。

『刀子匠に頼むと、銀六両もかかるらしいのよ。切り落とすだけなのに、どうしてそんなに高いのかしらね。おまえのために銀六両も払いたくないから、わたくしが済ませるわ』

熕氏は使用人に命じて、激痛にのたうつ息子の体を押さえつけさせた。

『おまえは父親に似ているから、きっと父親のように好色な男になる。あちこちに妾(めかけ)を作って、妻を悲しませるんだわ。母上はそれが心配でたまらない。だから、知恵を絞(しぼ)って考えたの。将来おまえにたぶらかされて泣く羽目になる女性を守るには、どうしたらいいか』

おまえが男でなくなってしまえばいいのよ、と熕氏は笑った。

『男ではない男を宮廷で何と呼ぶか知っている？〈欠けた者〉というのよ。人ではない生きものということ。よかったわね、誉懐。これで——おまえも〈欠けた者〉よ』

実母に自宮された誉懐は後宮に入った。当然だ。〈欠けた者〉の居場所はそこしかない。

「何年経っても、恨みは消えなかった。いつか必ず、最もむごたらしい手段で復讐してやるつもりでした。烜氏がみじめに命乞いをするまで痛めつけて殺してやろうと……。突然、天がその機会をつぶしたんです。私が八つ裂きにするために生かしておいた鬼女を、ほんの一瞬で肉塊にした！　その程度の責め苦で、あの女の罪が帳消しになるはずはないのに……！」

「……あなたの境遇は不憫に思います、暦太監」

胃の腑がねじれるような吐き気をこらえて、緋燕は怨敵を睨みつけた。

「烜氏の死後、恨む相手を喪い、復讐心を持て余したことも理解できます。けれど、いかに過酷な半生であろうと、無関係の婦人たちを辱める理由にはなりません」

緋燕は四欲に目配せした。四欲が火箭をつがえる。暦太監は彼から火箭を奪おうとしたが、因内監付きの宦官たちに取り囲まれ、身動きできなくなった。

「天は烜氏を罰した。あなたにとっては不十分なものだったとはいえ、非業の死を遂げました。誰もが、己が罪に対する報いを受けなければならないのです。もちろん、あなたも」

提灯から明かりを取り出し、火箭の導火線に火をつける。

「あなたは私の家族を奪った。私だけではない。あなたのせいで家族を失った人たちが大勢いる。彼らの怨嗟の声に耳を澄ませて、よく味わってください。愛する人を喪う痛みを」

四欲が矢を射たのと、暦太監が絶叫したのがほぼ同時。矢は小舟に揺られる朱虹の胸に命中した。とたん、火薬が爆ぜる。一瞬にして朱虹の四肢が飛び散り、小舟は炎上した。

「いかがですか。愛妻を殺されたご気分は」

緋燕は怨敵をふり返った。さぞかし打ちのめされているだろうと期待して。

「──茶番はおしまいですか」

予想に反し、暦太監は笑っていた。愉快そうに、肩を揺らしながら。

「茶番ですって？　目の前で妻を殺されたのに、あなたには人の心というものが」

「あれは朱虹じゃない。朱虹に似せて作ったからくり人形でしょう。わざわざ血糊風の絵具まで仕込んで、芸が細かい。あなたは工作が得意だと聞いていましたが、評判通りですね」

「……いつから気づいていたんですか」

「始めからですよ。送られてきた朱虹の爪も蠟で作った偽物だった。朱虹は恵兆王府にいる。後宮に戻った形跡はない。今頃、私の部下が救出しているでしょう。したがって、ここに朱虹はいない。そもそも最大の切り札である朱虹をあなたが粗末に扱うわけがない。火箭で一思いに木端微塵に？　ありえない。あなたなら、もっと残酷な方法を思いつくはずだ」

暦太監は一歩ずつ近づいてくる。因内監付きの宦官たちは彼を止めなかった。

「何をしているの⁉　取り押さえておきなさい！」

「無駄ですよ。彼らはあなたの配下ではない。因内監の部下だ」

「四欲！　暦太監を捕らえておくように命じて――」

「とっくにご存じだと思いますけどね、李婉儀さま」

四欲は緋燕の右腕をつかんでねじり上げた。

「俺、金に弱いんですよねぇ」

月明かりに濡れる艶冶な美貌が嘲るように歪んだ。

「……裏切ったの……!?」

「暦太監にはいろいろ世話になってますし、借金も返してないんで。まあ、義理ですよ」

「ばかね、暦太監は自分の弟子だった鈍虚さんを捨て駒にしたのよ。部下たちをさんざん利用して、口封じしてきたわ。あなただって、いつ使い捨てられるか……」

「筋書きは用意してあります」

暦太監に首をつかまれ、緋燕は総毛立った。ぞっとするほど冷たい手に心臓が凍りつく。

「あなたは格致がお好きだ。今夜も火薬の実験をしていらっしゃった。実験には失敗がつきもの。不運にも、あなたは火薬の量を間違えて事故死してしまう」

忌まわしい仇敵の指が素肌に食いこみ、どくどくと首を流れる血が逆流する。

「……私を殺せば、朱虹は永遠に戻ってこないわよ」

「勇ましいことだ。この期に及んで虚勢をお張りになる」

「虚勢ですって？　おめでたい人！」

緋燕はいびつな笑みを浮かべた。

「かわいそうだから、教えてあげます。朱虹は恵兆王府にはいません」

「はったりはききませんよ」

「嘘だと思いたければ思うがいいわ。じきに配下が急報を持ってくるわよ。恵兆王府にいたのは朱虹ではなく、替え玉だと――ほら、来た」

暦太監付きの少年宦官が慌てた様子で駆けてきた。耳打ちされ、暦太監は顔色を失う。

「あなたが朱虹を監視しているのは知っていたわ。だから替え玉を恵兆王府に送ったのよ。そうすれば、あなたの注意はそちらに向かう。後宮にいる私の監視は手薄になって……っ」

「……朱虹をどこへやった⁉」

暦太監が緋燕の首をつかむ手に力をこめた。見開かれた両眼には憤怒があらわだ。

「どこへ？　たった今、見たじゃないですか。朱虹が、ばらばらに、飛び散る……のを」

首を絞め上げられ、緋燕は息苦しさにあえぐ。

「あなたなら、朱虹を生かして利用するはずだ。じっくりと恨みを晴らすために」

「そうやってもたもたしていたから、あなたは煩氏を殺し損ねたのよ。自分がグズだからって私も同じだと決めつけないで。私はやり遂げたわ！　あなたから最愛の妻を、奪って……っ」

「朱虹は死んでいない‼」

絵具をぶちまけたような視界に、憎悪をみなぎらせた宦官の姿が映った。

「死ぬのはあなただ、李婉儀」

すさまじい力で首を絞められた。殺意を向けられ、同じだけの敵意がふつふつとわき上がってくるのに、それ以上に空虚な気持ちがするのは――なぜだろう。

意識が遠のいていく。滾り続けてきた宿怨が目尻からこぼれ落ちた。


「暦清白を捕らえよ！」

遊宵は高らかに命じた。後宮警吏たちが暦太監を取り押さえ、緋燕を引き離す。

「緋燕、無事だろうね？」

「……はい。生きています」

遊宵が抱き寄せると、緋燕は咳きこんだ。白い首に絞め上げられた痕が残っている。

「暦清白、おまえは皇族を手にかけようとした。極刑はまぬかれぬぞ」

宮正司の長官が厳然と言い渡す。縄をかけられた暦太監はいぶかしげに顔をしかめた。

「……皇族だと？　ばかな、私が殺そうとしたのは李婉儀で……」

白皙の細面がみるみる青ざめていく。遊宵は暦太監を見下ろした。

「まだ公にはしていないが、李婉儀は余の子を身籠っている」

懐妊中の妃嬪を殺めることは、皇帝の子を殺めることと同義。

「皇族殺しは未遂であっても死罪。皇太后付き太監であるおまえが知らぬはずはないな？」

暦清白――即誉懐の罪状は許しがたい。やつの凶行が大勢の人々の日常を破壊した。

しかし、証拠がない。老官吏の調書も、旅司正の調書も、即誉懐の犯行を裏付ける力はない。

暦太監は疑わしいというだけで罰せられる相手ではない。彼は栄家と深いつながりがあり、持ちつ持たれつの間柄。この程度の罪過なら、栄家がもみ消してくれるだろう。

過去の罪では暦太監を裁けない。それゆえに、新たな罪状が必要だった。

暦太監に皇族殺しを犯させる。爆発事件後、緋燕に贈った〈慰めの詩〉の内容はこれだ。

李婉儀は子を身籠れない体だという噂を流したのは、彼女が懐妊していることを隠すため。

身籠りやすくするための薬の副作用だと言えば、懐妊による不調をごまかせる。

同時期に李婉儀と因内監の仲をほのめかす噂を流した。緋燕が四欲を見舞っているところに出向いて二人の関係を疑い、李婉儀の名札を捨てるよう敬事房太監に命じたのは、李婉儀は寵愛を失ったという急報が暦太監の耳に届くのを見越してのこと。遊宵が故意に緋燕を遠ざけ、呉寧妃を侍らせたことも、醜聞を裏付けるのに一役買った。

『旅司正は暦太監を疑っています』

二度目の怪文書を見て、暦太監は「まるで脅迫だ」と言った。『おまえは六年前』という文面を〈脅迫〉と受け取ったのは彼だけ。それほど〈六年前〉という数字は彼にとって特別なのだろう。暦太監が舎朱虹を娶って今年で六年目。彼の愛妻家ぶりは後宮中の語り草だ。

二度目の怪文書は、彼にとって脅迫文だった。妻を狙うと示唆されたも同然だった。

緋燕を狙った文蒼閣の爆発事件は、暦太監の焦燥を露呈させたといってもいい。

『目の前で朱虹を害したら、暦太監は逆上して私を殺そうとするでしょう』

証拠を消す暇を与えず、現場で捕らえる。罪状が皇族殺しなら、栄家は暦太監を守って呉家につけ入られる隙を作るより、彼を切り捨てて火の粉を振り払うほうを選ぶ。

危険な賭けだった。一歩間違えば子を喪い、緋燕をも亡くしてしまうかもしれない。離宮に行幸したと見せかけて皇宮に残り、暦太監と緋燕の動向を絶えず監視させていた。

暦太監の手下が緋燕に触れないよう、因四欲に裏切者を演じさせた。彼が緋燕を取り押さえておけば、暦太監が手下に命じて彼女を捕らえさせることはないと踏んだからだ。

手はず通りに運んだものの、緋燕には負担をかけてしまった。遊宵の腕の中で、彼女は浅い呼吸を繰り返している。苦しげな表情を見ていると胸が痛んだ。

「李婉儀！　なんて冷酷な女だ！　我が子を、復讐の道具に使うとは……！」

暦太監が怒声を張り上げた。血走った彼の目には、緋燕の姿が熕氏のそれと重なって見えているのだろうか。確かに、我が子を利用したという点では同じだ。――しかし。

「余が命じたことだ。冷酷の誹りを受けるべきは、余であろう」

遊宵は緋燕を沖太医に預け、暦太監の前に立った。

「栄家の増長は目に余る。そろそろ灸をすえてやる頃合いだ。栄家のために暗躍していたおまえの首を城門に掲げれば、連中も余の勘気を思い知るだろうな」

緋燕の恨みを晴らすためだけに、謀をめぐらせたわけではない。彼女の仇は暦太監だと目算を立てたとき、我が物顔で朝廷を闊歩する栄家の片足をもぐ好機だと考えた。遊宵は愛する女と我が子の命を餌にして罠を仕かけたのだ。これが外道でなくて何だというのか。

「……朱虹は……朱虹はどこです⁉　まさか、本当に……」

命乞いもせずに、暦太監は愛妻の名を叫んだ。

「宮正司の獄舎だ。案じるな。生きている」

今はまだ。彼女は死罪にはならないが、夫が処刑台にのぼったと聞けばあとを追うだろう。互いが互いの半身のような夫婦だ。どちらかが欠ければ、生きていけない。

「主上……伏してお願い申し上げます。どうか、どうか……妻に会わせてください」

暦太監は遊宵の足元に身を投げ出した。床にひたいを打ちつけて懇願する。

「わずかな時間でも、一目でも、後生ですから……。せめて最後に、今生の別れを……」

髪を振り乱し、ひたいに血をにじませて嘆願する。痛々しく歪んだ美貌に、後宮を操ってきた高級宦官の面影はない。遊宵の目に映るのは、愚かしいほどに妻を想う夫の姿だ。

「朱虹には、感謝の言葉を伝えよ。おまえのおかげで無益な復讐をやめられたのだと」

六年前を最後に即誉懐の犯行が途絶えたのは、むろん、煩氏への積怨になにがしかの決着がついたためだろう。図らずもその後押しをしたのは、朱虹に違いない。

「男を苦しめるのが女なら、男を救うのもまた女だ」

遊宵は暦太監のそばに屈みこんだ。長年、母に仕えてくれた宦官の肩をつかむ。

「よき妻を持ったな、清白」

宦官になったからこそ、彼は朱虹と出会った。ならば、煩氏の凶行は、二人を結びつけるために、天が定めたものだったのだろうか。あるいは煩氏が蛮行に手を染めなくても、二人は別の形でめぐり会ったのだろうか。問いに対する答えを遊宵は知らないが、ひとつだけ確実に言えることがある。それは——二人の情愛が本物だということだ。

「……皇恩に深謝いたします」

暦清白は臓腑を引きちぎられたように嗚咽した。

「聞いたよ、緋燕。暦太監の助命を嘆願してほしいと、母上に申し出たそうだね」

暦太監の事件から半月が経ち、季節は秋の色を帯びてきた。

「私は当事者ですから、裁判では事実しか申せません。ありのままを申せば、暦太監を極刑に追いこむことになります。けれど、それは……朱虹にとって、あまりに酷です」

あれから緋燕は体調が思わしくない。今日も昼間から横になっている。沖太医によれば、子は順調に成長しているらしいが、緋燕の顔色は晴れなかった。

「私にとって、暦太監は憎い仇です。家族を奪われたこと、一生忘れません。本当は、この手で殺してやりたい。母の、兄の、父の仇を討ちたい。でも、あの人は朱虹の夫だから……」

青白いまぶたをぎゅっと閉じる。目尻からあふれたしずくが頰を伝った。

「朱虹は、私に忠実に仕えてくれました。実験に付き合ってくれたし、私が作るからくりを面白がってくれたし……朱虹のおしゃべりを聞いているだけでも楽しかった」

緋燕のそばに朱虹がいない。見慣れた部屋がどこか物足りないのは、そのせいだ。

「……母の仇を討てば、心が軽くなるはずだったのに……私……後悔しているんです。こんなこと……しなければよかったたって、朱虹から、夫を奪わなければよかったたって……。苦しくて、苦しくて、たまらないんです。なんで、復讐なんか、したんだろうって……」

やっと悲願が果たされたのに、緋燕の心は悲しみに沈んでいる。

宿怨を晴らして、残ったのはやりきれない思いだけだ。何かを得れば何かを失うと人は言うが、復讐の果てに得るものとは何だろう。過去の悲劇に新たな悲劇が塗り重ねられて、苦しみが苦しみを呼ぶだけなら、いっそ緋燕が言うように――いや、それは違う。

「暦太監に復讐したのは君じゃないよ、緋燕」

震える背中をさすり、衣服越しに感じる互いのぬくもりを分かち合う。

「彼は自分自身に復讐されたんだ。自らが犯してきた罪が、彼を裁いたんだよ」

きっと、どこかで帳尻を合わせることになっている。誰しもがつけを支払わなければならないのだ。天がそう定めているのなら、受け入れるよりほかに道はない。

「私もいつか、裁かれるでしょうか……？」

緋燕が泣き腫らした瞳で遊宵をとらえた。とたん、戦慄が喉に食らいつく。

いつの日かやってくる審判は、遊宵から最愛のものを奪うだろうという予感がした。重罰に見合う罪を犯すことは、すでに決まっている。龍衣をまとい、皇位にのぼった瞬間に。

非情にならずに朝廷を制することはできない。民を殺めずに天下を治めることはできない。有史以来、無辜の天子はいなかった。歴代の帝王は例外なく報いを受けてきたはずだ。

「そのときが来たら、ともに乗り越えよう」

遊宵は緋燕のひたいに唇を押し当てた。胸がつまって言葉にならない。

——玉座が燦然と輝くのは、それが流血で洗われるからである。

史書の文言が頭の中でこだまして、遊宵は天に哀願した。

どうか李緋燕だけは、幸福な一生を送ってほしいと。彼女の血で洗われた玉座に、この身を預けたくはない。もし、そんなことになったら、遊宵は人の心をなくしてしまう。

『私は主上が万民に慕われる天子であってほしいと思います』

緋燕の願いを叶えたい。だからこそ、彼女を失うわけにはいかない。

「後世、史書にはこう記されるだろうね。崇成帝が愛した女性は、李緋燕だけだったと」

「李緋燕は平凡な容姿で、書物と実験とからくりが好きな変わり者だったと？」

「前半は間違っているよ。正しくは——李緋燕は蓮花花神と見紛う傾国の美姫であり、たぐいまれな色香で崇成帝を大いに惑わした」

「お世辞がてんこ盛りで、かえっていやみです」

緋燕は唇を尖らせた。遊宵は笑って、蓮の蕾に似た愛妃の紅唇をついばむ。

「真実を述べたんだよ。君の色香に溺れてどうかしてしまいそうだ。毎夜、君と共寝したくてたまらない。なぜ懐妊中の妃嬪に侍寝させてはならないなんて決まりがあるんだろうね」

「天寵が後宮にあまねく行き渡るための規則です。肉欲を持て余していらっしゃるなら、宮女と交合なさいませ。適度な房事は健康増進に役立ちます」

「肉欲、交合、房事か。君の口から聞くのは、久しぶりだな」

緋燕がまじめ腐った顔をしているので、遊宵は噴き出してしまった。

「では、健康増進のために、新しい『金閨神戯』を一緒に読もうか」

「……新しい？」

「知らないのかい。『金閨神戯』は毎年、改訂されるんだよ。新版が出回るのは年が明けてからだけど、皇帝には一足早く見本が献上される。いちいち内容を検めて赤字で訂正しなければならないのは骨だと父上がおっしゃっていたが、まったくだね。何しろ四十巻もある。崇成二年版は第七巻が大幅に改変されたらしい。どこがどう変わったのか、調べてみようか」

駿奇に命じて、崇成二年版『金閨神戯』の第七巻を持ってこさせる。

「君は横になっていなさい。余が読み上げよう。さて、まずは……」

きわどい文章を音読しようとした唇に、ほっそりとした指先が押し当てられた。

「……政務でお疲れでしょう。しばらく午睡なさってはいかがでしょうか」

「君は余の心が読めるのかい。ちょうど一眠りしたいと思っていたところだよ」

書物を放り出し、遊宵は駿奇を呼んだ。

「余は午睡をする。夕刻になったら起こしてくれ」

「……あの、ひょっとして、ここで御寝なさるおつもりではないですよね？」

「そのつもりだよ。君の隣でやすみたいんだ」

「私は身重ですので、進御できません。この牀榻がお気に召したなら、私は別室に……」

「懐妊中の妃嬪に侍寝させてはならないという規則は知っているが、懐妊中の妃嬪と午睡してはならないという規則は知らないな。君は知っているかい、駿奇」

「いえ、寡聞にして存じません。敬事房に確認いたしましょうか」

「頼むよ。まあ、豹太監なら、融通をきかせてくれると思うけどね」

そろりと牀榻から抜け出そうとした緋燕を捕まえて、極彩色の帳をおろす。

「敬事房に確認が取れたら、侍御（天子のそばに仕えること）は配下に任せて、君もひと休みしなさい。希蓉殿の蓮池は素晴らしいよ。舎彤史と散策してきたらどうだい」

「ご厚情に深謝いたします。荊妻は蓮の花が好きなので喜びます」

刀駿奇の妻は舎彤史——舎虹霖である。虹霖と朱虹は従姉妹だ。

如才ない所作で駿奇が退室すると、昼下がりの寝間は気だるげな静けさに包まれた。

「さて、邪魔者は追い払ったことだし、午睡しようか」

「……本当に午睡ですか？　変なことをなさるおつもりじゃ……」

「ひどいね。そんなに余が信用できないかい」

「ご自分の行いを省みてくだされば、疑われる理由はおのずとお分かりになるかと」

「胸に手をあてて考えてみたけど、身に覚えがないな。余は品行方正だからね」

「あなたにお似合いの言葉は〈品行方正〉ではなく、〈好色多淫〉です」

横目で睨まれた。歯に衣着せぬ物言いが心地いい。

「君だけだよ、緋燕」

笑みを含んだ唇で、遊宵は白磁のような首筋に口づけした。

「君だけが、余を淫虐にする」

誰しも天の裁きからは逃れられない。なればこそ、今はただ、溺れていたい。骨まで焼き尽くすような恋情に、愛おしい柔肌に――李緋燕という女に。

「李婉儀ったら、またがらくたを作ってるのね」

工房にずかずかと入ってきたのは呉寧妃だった。後ろから碧麗がついてくる。

「がらくたじゃなくて、おもちゃです。見てください。可愛いでしょう?」

緋燕はからくり仕掛けの箱につけた取っ手を回した。すると、箱のふたが開いて、中から小鳥が出てくる。小鳥はパタパタと翼を動かし、口をパクパクさせる。

「子どものおもちゃのつもりだろうけど……これじゃ、赤ん坊は大泣きするわよ」

「大泣き? なんでですか? 可愛い小鳥が出てくるのに」

「可愛い小鳥? どう見ても全身トゲだらけの怪鳥じゃない。ねえ、念明儀」

「うーん、怪鳥というより、大猿の化け物みた……かっ、可愛い小鳥ね! 素敵!」

先月、九嬪の第七位・明儀に冊封された碧麗が引きつった笑みで無理やり褒めてくれる。

「……作り直したほうがよさそうですね」

「あとにしなさいよ。今日は寒いんだから、あたたかい部屋でやすまないと」

「そうよ、緋燕。ここは冷えるわ。蒸捲を持ってきたから、一緒に食べましょう」

二人に急かされ、緋燕は工房を出た。

十二月朔日である。内院には雪灯籠が並び、寒牡丹が艶やかな花を咲かせている。

「この冬が明けたら、入宮して一年になるのね」

客間で蒸捲を食べながら、緋燕はしみじみとつぶやいた。

いろんなことがあった。嬉しいことも、楽しいことも、悲しいことも。きっとこれは始まりにすぎない。天子に嫁いだからには、苦難は避けられない。不安がないと言えば嘘になる。暦太監が言っていたように、緋燕には有力な後ろ盾がない。皇帝の寵愛だけが頼みの綱。君寵を失えば、何もかもを失う。危うい立場にいる。希蓉殿は砂の楼閣も同然だ。

けれど不思議に、心は凪いでいた。大きな腹部を撫でると、胸の奥がじんわりと熱を帯びる。愛しい人の子を宿した。その事実が緋燕を希望で満たしてくれる。

「来月はいよいよ産み月ね。体調はいいの？　今夜の宴には出られそう？」

「ええ、好調です。雪見の宴には出ますよ。純禎公主さまにお目にかかりたいですし」

「わらわたちはさっきお会いしてきたわ。お美しい方だったわよ」

凱に朝貢する異国の使節団は、冬至の御宴で勢ぞろいするのが慣例だ。純禎公主が嫁いだ鬼淵国の使節団は予定より入朝が遅れ、冬至に間に合わなかった。そのため、今夜催される雪見の宴で顔見せとなる。純禎公主は夫の鬼淵王とともに、出席するらしい。

（主上の初恋の方だもの……魅力的な人よね）

興味があると同時に、恐ろしくもある。皇帝は純禎公主と再会して、恋心が再燃するのではないか。緋燕のことをあっという間に忘れて、初恋に思い乱れるのではないか。

そんなことを心配しても仕方ないのに、もやもやしてしまう。

身支度のために呉寧妃と碧麗が帰った後、緋燕は化粧部屋に入った。朱虹がいなくなってから別の女官たちに化粧を任せていたが、満足のいく仕上がりにならなかった。

そこで試しに四欲に頼んでみたところ、これが妙にうまい。皇帝が「最近の君は以前にも増して艶っぽいね」と褒めてくれるのは、四欲の化粧術のおかげだ。

「石鼠のやつがありがたがってましたよ。李婉儀さま特製の杖」

四欲は慣れた手つきで緋燕のひたいに花鈿を描く。

「変形すれば暗器になるし、ちょっとしたものを入れられるんで便利だって言ってました」

「旅司正は命を狙われることが多いでしょうから、役に立つはずよ」

大怪我を負った旅司正は、一命をとりとめたものの、杖なしでは歩けなくなってしまった。

一年ほど療養してはどうかという緋燕の薦めを断り、すでに仕事に復帰している。

『邸にいると迷氏を思い出して死にたくなるので、働いていたほうがいいんです』

妻と死に別れた宦官は再婚せず、残りの人生を亡妻の供養に費やすことが多いという。

「あ、忘れてた。これ、鈍虚から預かってきた礼状です」

化粧が済むと、四欲が文を差し出した。

緋燕は背鈍虚の治療を沖太医に頼んだ。太医は宦官を忌み嫌っているが、沖太医は豹太監の妻だからか、宦官に偏見を持たない。沖太医の薬が効いて、少しずつ文字を書けるようになってきたようだ。紙面に並んだ文字はたどたどしいが、鈍虚の誠意は伝わってきた。

「返事を書くから、届けてね。私が考案した栄養満点の薬粥も」

「かわいそうな鈍虚。地獄の泥水みたいなクソまずい薬粥を食わされるとは」

良薬は口に苦しよ、と四欲を睨み、緋燕はふっと窓外を見やった。

「朱虹たちは、もう都を出たでしょうね」

「どうかな。今年は雪が多いから、回り道してるかもしれませんよ」

栄太后の嘆願で、暦清白は死罪を免じられて流刑となった。辺地で労役に従事することになる。本来なら浣衣局行きで済む朱虹にも、宮正司は流刑を言い渡した。行き先は奇しくも夫と同じ。「夫婦で罪を償え」との沙汰が皇帝の恩情であることは、いうまでもない。

流人は乗り物を使わず、歩いて流刑地まで行かなければならない。道のりは険しく遠く、雪まじりの風が容赦なく吹きつける。それでも彼らが凍えることはないだろう。宿世の縁で結ばれた二人は、影のように寄りそって、ぬくもりを分かち合うだろうから。

「私の支度は済んだから、次はあなたよ、四欲」

「俺？　もう着替えてますよ？」

「膏薬を塗ってないでしょ。だめよ、ちゃんと塗らなきゃ」

四欲は顔の左半分に火傷の痕が残っている。沖太医の見立てでは、完全に傷跡を消すことはできないが、目立たないように治すことはできるという。ただ、そのためには毎日、膏薬を塗らなければならない。四欲は面倒くさがって、よく忘れている。

「この膏薬、嫌いなんですよ。肥溜めに落ちた後で日向ぼっこした爺さんみたいな臭いだし」

「香料を混ぜると薬効が薄らぐから入れられないの。我慢して」

「はあ……。別に治らなくてもいいんですけどね。包帯つけてると、女受けいいし」

包帯を巻いている姿が蠱惑的で素敵だと女性陣に大好評らしい。

「せっかく治せるんだから、治さなきゃ損よ。ここに座って、包帯をほどいて」

渋る四欲を椅子に座らせる。傷跡に膏薬を塗り、手を洗って清潔な包帯を出した。

「新しい包帯を巻いてあげるわね」

「いいですって、自分でやりますから。李婉儀さまにやってもらうと不細工になりますもん」

「私の巻き方は実用的なの。あなたのは恰好をつけすぎてて、包帯の体をなしてないわ」

「恰好つけるために巻いてるんですよ。あーダサい巻き方やめてください、俺の美貌が」

「……君たちは本当に仲がよいね」

ふいに底冷えのする声が背中を叩いた。振り返ると、皇帝が刀太監を従えて立っている。

「しゅ、主上！　こ、これは違うんです！　不細工な李婉儀さまが肥溜めに落ちた爺さんと美貌の俺がダサい包帯の……とっ、とにかく誤解ですから！」

慌てふためいて、四欲は意味不明なことを口走った。

「余の寵妃を不細工呼ばわりか。駿奇、君の弟子はずいぶん無礼だね」

「慙愧にたえません。かつての上官として、因内監には蹴り……言い聞かせておきます」

「蹴り入れる気だよ！　言い聞かせる気なんかさらさらないよ！」

「じっとしてて。あとちょっとだから。よし、できたわ。四欲の不細工巻き」

四欲の顔半分をぐるぐる巻きにして、緋燕はにっこりした。

「そちらが済んだなら、余の傷心を手当てしてくれないかな」

皇帝が緋燕の肩をそっと抱き寄せる。

「君が因内監と親しくしていると、胸が焼けるように痛むよ」

「胸やけですか？　心配ですね。太医を呼びましょう」

「太医では治せない種類の胸やけなんだ。難病でね」

「まあ、困りましたね。太医でも治せないとなると……」

「完治はしないが、痛みを和（やわ）らげることはできるよ。ただし、君の協力が必要だ」

「もちろん、協力します。何をすればいいんですか？」

見上げると、口づけが降ってくる。膝が萎（な）えそうになり、緋燕は龍衣（りゅうい）の袖（そで）をつかんだ。

「臥室（しんしつ）に行こうか」

「……これから月見の宴です」

「ああ、すっかり忘れていたよ。君の唇は魔性のものだな。余を惑わし、記憶を奪う」

緋燕は言い返そうとしてやめた。何を言っても、甘い囁きで返り討（う）ちにされてしまう。

「寝所にはお供できませんので、お詫（わ）びにお茶を差し上げましょう」

「いいね。君が淹（い）れてくれた茶なら、胸やけに効きそうだ」

客間に行き、緋燕は皇帝のために茶の支度をした。

瑠璃（るり）を削（けず）り出して作ったような茶杯（ゆのみ）に、黄金色の茶が映える。

茶杯には夫婦和合の象徴である鴛鴦が純白で表されている。もともとは皇帝が第一皇子だった頃に、婚約祝いとして純禎公主から贈られたものだそうだ。当時の婚約は政変により破談になり、茶杯は長らくしまいこまれていたが、三月ほど前、緋燕が皇帝から賜った。

「姉上に会ってきたよ」

茶を飲み終わり、皇帝は満足げに一息ついた。

「ずいぶん王妃らしくなっていた。鬼淵王との睦まじさも相変わらずだ」

皇帝の口ぶりに姉への恋慕がにじまないかどうか、緋燕は耳を澄ませていた。

「宴の前に紹介しよう。二人が会いたがっているんだ。余の心を射止めた美姫に」

「……がっかりなさるのでは。美姫というほどではないので」

思わずうつむくと、机の上で皇帝に手を握られた。

「君が何を恐れているか、分かっている。だが、それは杞憂だと言っておくよ」

視線が結ばれる。とたん、彼以外のものが視界から消えた。

「君への想いは変わらない」

低い声音からあふれるぬくもりが胸に広がっていく。机に隔てられているのに、肌が触れ合っているのは手だけなのに、裸で抱き合っているみたいに、あたたかい。

（……何を心配していたのかしら）

心を曇らせていた不安が消えていくのを感じた。遠くない未来、どんな辛苦に見舞われよう

と大丈夫だ。幸せな今が優しい記憶になって、緋燕を支えてくれるだろう。

「純禎公主さまは何がお好きですか。贈り物をどんなものにするか、悩んでいるんです」

「姉上は陶磁器が好きだけど、たくさん持っているからね。変わったものがいいな。余にくれたような、からくり仙女は？　あれがあれば、鬼淵でも懐かしい祖国の曲を楽しめる」

「でも、私が作るとおぞましい曲になってしまいます」

「余が手伝おう。『幻西機巧図録』を熟読したからね。余にもできるはずだ」

「読んで理解するのと、実際にやってみるのとでは、だいぶ違いますよ」

「君が教えてくれるんだろう？　余は優秀な生徒になるよ」

微笑みを交し合うと、なぜだか涙がこぼれてしまった。

何気ない会話。何気ない眼差し。すべての瞬間が切なくなるほどに貴く、愛おしい。

緋燕は席を立った。皇帝のそばに行き、彼の唇に指先で触れる。愛しいという気持ちを伝える仕草は、言葉よりも気恥ずかしい。頬に朱がのぼるのが、自分でも分かった。

「緋燕……頼むから」

皇帝は緋燕の指先に口づけした。熱い吐息が、皮膚を焼く。

「……拷問はやめてくれ」

あとがき

こんにちは。はるおかりのです。後宮シリーズ五巻目のテーマは「格致（科学）」です。とはいえ、格致要素はそこまで強くなく、裏テーマの「宦官」のほうが強いかもしれません。

本作の舞台は『後宮陶華伝』のラストから六年後。『後宮陶華伝』では鳳姫の弟として登場していた遊宵が皇帝に即位したばかりです。皇帝が主役なので、後宮事情をがっつり描くことができました。作中に出てきた「金の指輪・銀の指輪」「彤史」は古代中国に始まる制度、「内書堂」は明代の宦官学校、「正途」は同じく明代の内書堂出身のエリート宦官、「敬事房」は明清時代に皇帝の夜の生活を司った役所です。宦官制度は主に明代を参考にしました。

宦官キャラについて少し。本作で人生のどん底まで落ちてしまった背鈍虚は、あまりにかわいそうなので、これから春が来ると思います。旅石鼠はどんより影を背負ったまま仕事に励み、因四欲については番外編で語ります。この同期三人組は全員太監になります。

豹太監は進御のたびに奥さんが作ってくれたお弁当を食べています。豹太監は鳳姫が嫁ぐまで彼女付きの次席宦官・内監でした。暦太監と奥さんの馴れ初めエピソードは（枚数的に）入ませんでした……。ご想像にお任せします。暦太監と刀太監は同期です。刀太監は奥さんが大好きすぎて、仕事中もだいたい奥さんのことを考えています。

前回、不憫だった遊宵も、緋燕の登場で救われました。緋燕は基本テンションが低いのに、いきなり変な発言をするので面白かったです。本来ならヒロインポジションの碧麗、呉氏と士影のその後、栄貴人の恋など、もっと書きたかったのですが、枚数の壁に阻まれました。

今回は番外編を書かせていただきました。のちほど、Web マガジン Cobalt に掲載させていただけるそうなので、本編をお読みになった方はぜひご覧くださいませ。本編終了から六年後、四欲が主役のお話です。緋燕と遊宵、公主たち、刀太監が出てきます。

由利子先生のイラストは今回も美麗です。カバーの鳳姫が手に持っている本は『金閨神戯』でお願いしますとゴリ押ししたところ、作者の願いを叶えてくださいました。なんとなく偉そうで皇帝らしい遊宵が好きです。素晴らしいイラストを本当にありがとうございました！

担当さまには大変ご迷惑をおかけしました。すみません。担当さまとは笑いのツボがやけに合うなあとひそかに思っています。これからもよろしくお願いします。

最後になりましたが、読者の皆さまに心から感謝いたします。今回も好きなものをこれでもかとつめこみました。少しでも楽しんでいただければ嬉しいです。

はるおかりの

はるおか・りの

7月2日生まれ。熊本県出身。蟹座。AB型。『三千寵愛在一身』で、2010年度ロマン大賞受賞。コバルト文庫に『三千寵愛在一身』シリーズ、『A collection of love stories』シリーズ、禁断の花嫁三部作、『後宮』シリーズがある。趣味は懸賞に応募すること、チラシ集め、祖母と電話で話すこと。わけもなくよく転ぶので、階段が怖い。

後宮幻華伝

奇奇怪怪なる花嫁は謎めく機巧(からくり)を踊らす

COBALT-SERIES

2017年3月10日　第1刷発行

★定価はカバーに表示してあります

著　者　はるおかりの
発行者　北畠輝幸
発行所　株式会社　集英社
〒101－8050
東京都千代田区一ツ橋2—5—10
電話
【編集部】03-3230-6268
【読者係】03-3230-6080
【販売部】03-3230-6393（書店専用）

印刷所　株式会社美松堂
中央精版印刷株式会社

ISBN978-4-08-608030-9　C0193